Carnet d'un pantin (PAS SI) menteur

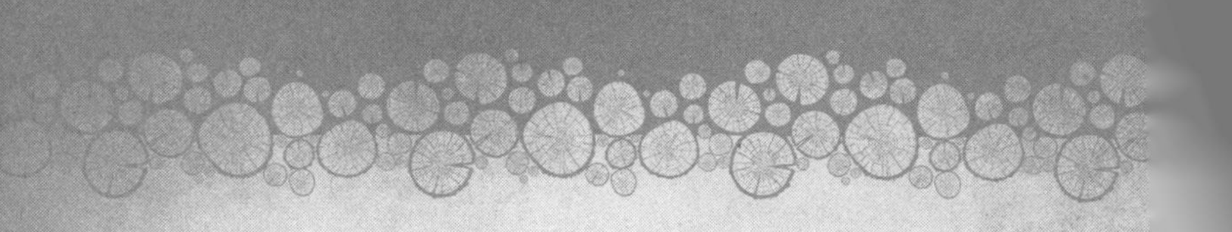

Carnet d'un pantin (PAS SI) menteur

Les Éditions Goélette

Graphisme : Marjolaine Pageau et Chantal Morisset
Révision, correction : Corinne De Vailly, Marilou Charpentier
et Maude-Iris Hamelin-Ouellette
Illustration de la couverture : Julie Jodoin Rodriguez

www.editionsgoelette.com
www.facebook.com/EditionsGoelette

Dépôt légal : 3e trimestre 2013
Bibliothèque et Archives nationales du Québec
Bibliothèque et Archives Canada

Les Éditions Goélette bénéficient du soutien financier de la SODEC
pour son programme d'aide à l'édition et à la promotion.

Nous remercions le gouvernement du Québec de l'aide financière
accordée par l'entremise du Programme de crédit d'impôt
pour l'édition de livres, administré par la SODEC.

Nous reconnaissons l'aide financière du gouvernement du Canada par
l'entremise du Fonds du livre du Canada pour nos activités d'édition.

ASSOCIATION NATIONALE DES ÉDITEURS DE LIVRES
Membre de l'Association nationale des éditeurs de livres.

Imprimé au Canada
ISBN : 978-2-89690-591-1

Voici le journal INTIME
et très PRIVÉ de Pinocchio.

NE PAS OUVRIR!

(Sauf si tu veux vraiment découvrir toute la vérité
sur moi ! Parole de Pinocchio !)

JUIN

10 juin

Je suis très heureux, car l'été est enfin à nos portes ! Comme je suis fait en bois, le printemps et l'humidité me créent beaucoup de rhumatismes, alors je suis soulagé de voir la chaleur s'installer et la pluie disparaître ! En plus, je pourrai passer plus de temps à jouer dehors avec mes amis. Depuis l'aventure au lac Ilétaitunefois[1] qui nous a permis de guérir Dormeur et Belle, je passe beaucoup de temps avec les Sept Nains, Reine, Belle, Carabosse et la mère Michel.

Et comme Gepetto est maintenant fiancé à Bleutée et qu'il file toujours le parfait amour, il me laisse beaucoup plus de liberté, ce qui me rend très heureux. Il m'a d'ailleurs annoncé hier soir qu'ils comptaient se marier à la fin du mois d'août dans le parc Ilsvécurentheureuxeteurentbeaucoupdenfants.

---

1. *Secrets de la marraine (pas si) maléfique de la Belle au bois dormant*, coll. L'envers des contes de fées, Les Éditions Goélette, 2013.

J'aime beaucoup Bleutée, et je suis content qu'elle vienne habiter avec nous, d'autant plus qu'elle se porte souvent à ma défense.

Par exemple, hier, j'étais en train de regarder mon émission préférée (*Le pantin de mes rêves*), lorsqu'elle m'a annoncé que le dîner était servi.

« Qu'est-ce qu'on mange ? » lui ai-je demandé en souriant.

« Je sais que tu n'es pas friand des fricassées de tofu de Reine, mais celle-ci m'a vendu les mérites du soja, alors je me suis lancée dans la préparation d'un hachis parmentier au tofu et aux topinambours. »

J'ai immédiatement eu un haut-le-cœur. Moi qui espérais déguster un délicieux plat de spaghettis carbonara ou des côtelettes de porc, on peut dire que j'étais loin d'être servi.

Je me suis installé à table, et j'ai eu un mouvement de recul lorsqu'elle m'a servi une généreuse portion.

« Que se passe-t-il ? m'a demandé Gepetto. Tu n'as pas faim ? »

J'étais pris au piège. Si je lui disais non, mon nez allait me trahir en s'allongeant, mais si je lui répondais oui, ils allaient comprendre que le plat concocté par Bleutée me dégoûtait au plus haut point... Et je ne voulais pas la blesser.

« Euh... Je... »

Bleutée s'est aussitôt portée à mon secours.

« Tu es encore troublé par la fricassée de Reine, c'est ça ? »

« Oui », ai-je confirmé sans hésiter. Ce n'était pas la seule explication, mais ce n'était pas non plus un mensonge.

Bleutée m'a souri et a posé sa main sur mon bras.

« Je comprends, Pinocchio. »

« Fais plaisir à Bleutée et goûte à son délicieux repas », a insisté Gepetto en me faisant de gros yeux.

J'ai souri et j'ai pris une bouchée du hachis. Ce n'était pas aussi dégoûtant que la fricassée de Reine ; c'était pire. Gepetto et Bleutée avaient les yeux rivés sur moi. Je ne savais plus comment m'en sortir.

« Alors ? » s'est enquise Bleutée.

« Euh... Miam ? » ai-je essayé.

Sans succès. Mon nez s'est aussitôt mis à s'allonger. Bleutée a baissé les yeux et Gepetto a soupiré.

« Je suis désolé ! me suis-je excusé. Je ne voulais pas faire de peine à Bleutée, alors j'ai dit un mensonge. »

« Pinocchio, je t'ai déjà répété mille fois de ne pas mentir », m'a grondé Gepetto.

« Mais je suis flattée que tu aies voulu me protéger, est intervenue Bleutée en souriant. Et je me doutais bien que tu n'allais pas raffoler de mon hachis ! C'est pourquoi je t'ai réchauffé un plat de macaronis au fromage ! »

« Oh ! Merci, Bleutée ! Tu es géniale ! »

Cette dernière m'a fait un clin d'œil. Comme je le disais, je suis très content qu'elle entre dans la famille !

12 juin

Aujourd'hui, je suis allé rendre visite aux Sept Nains, qui organisaient un barbecue pour célébrer l'arrivée de l'été.

« Pinocchio, veux-tu un morceau de truite ? » m'a demandé Dormeur.

« Non merci », ai-je répondu en grimaçant.

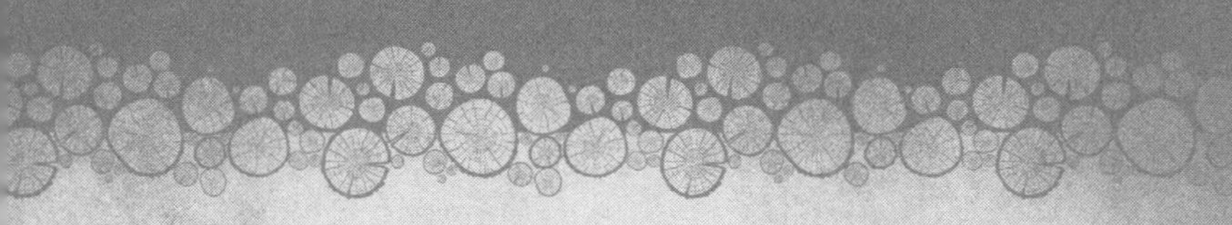

« Que se passe-t-il ? Tu n'aimes pas la truite ? » a insisté la mère Michel en caressant son chat.

« Disons que depuis l'histoire de la baleine qui a essayé de m'engloutir avec Gepetto, je ne suis pas un grand adepte des mammifères marins, du poisson et des fruits de mer en général. »

« Alors, que dirais-tu d'un steak saignant ? » m'a offert Grincheux.

« Je ne dirais pas non ! »

« Es-tu sûr que tu n'as pas aussi peur des vaches ? » s'est moqué Blanche-Neige.

« Bien sûr que non », ai-je répondu sur la défensive.

Mon nez s'est aussitôt mis à s'allonger.

« Mais que se passe-t-il ? ai-je dit tout bas. Je n'ai pourtant pas peur des vaches ! Pourquoi mon nez s'emballe-t-il de cette façon ? »

« Y a-t-il un animal duquel tu n'aies pas peur ? » a demandé Boucle d'or en ricanant.

« Attention, Pinocchio ! Il y a une fourmi à ta droite ! » a renchéri Beau Prince.

Tout le monde a éclaté de rire.

« Arrêtez de vous moquer de moi, me suis-je exclamé. Je n'ai pas peur des vaches ni des fourmis ! »

Mon nez s'est allongé davantage. Je n'y comprenais rien. S'il y a une chose dont j'étais absolument certain, c'est que je n'avais pas peur des fourmis ! Alors pourquoi mon nez s'obstinait-il à dire le contraire ?

Heureusement pour moi, mes amis ont proposé de jouer à cache-cache et ne se sont pas acharnés davantage sur mon sort, mais j'avoue que je ne comprends pas du tout ce qui s'est produit. Ce sont peut-être les allergies saisonnières qui ont un impact sur mon nez.

Mon anniversaire approche à grands pas, et le plus beau cadeau que je pourrais recevoir serait de me défaire de ce nez débile qui ne cesse de me causer des ennuis !

15 juin

Aujourd'hui, j'ai aidé Gepetto à construire un grand coffre pour ranger tous mes jouets. J'adore passer du temps avec lui, d'autant plus qu'il m'apprend des tonnes de choses à propos du métier de menuisier et qu'il me transmet sa passion du bois.

Vers la fin de la journée, mon ami Grincheux est venu me rendre visite à la maison.

« Je voulais m'excuser pour l'autre jour, m'a-t-il dit. J'aurais dû te défendre quand ton nez s'est mis à s'allonger plutôt que de rigoler avec les autres. Je suis désolé. »

« C'est bon, lui ai-je répondu. Je te pardonne. »

Je me suis alors remémoré l'étrange réaction de mon nez ce jour-là.

« Que se passe-t-il ? » m'a demandé Grincheux. Il me connaît assez bien pour deviner que quelque chose me tracasse.

« En fait, je sais que ça semble curieux, mais je ne comprends toujours pas pourquoi mon nez s'est allongé ce jour-là. Je n'ai pourtant pas peur des vaches ni des fourmis. »

« Allons, Pinocchio. Tu peux me dire la vérité ! Je ne me moquerai pas de toi. »

« Mais je te dis la vérité ! La preuve, c'est que mon nez ne s'allonge pas aujourd'hui ! »

Grincheux m'a dévisagé pendant quelques instants, puis il s'est mis à sourire.

« Ça alors ! Tu as raison ! »

« Je sais que j'ai raison, mais ça ne change rien au fait que tout le village m'a vu, et que tous les habitants croient que je suis une poule mouillée qui a peur de son ombre ! »

« Allons, Pinocchio ! Il ne faut pas exagérer ! Tu connais nos amis ; ils auront tôt fait de parler d'autre chose. »

Le téléphone cellulaire de Grincheux s'est aussitôt mis à retentir.

« Allô ? Oh... Bonjour, mon poussin ! Comment vas-tu ? Je suis avec Pinocchio en ce moment et... Quoi ? Vraiment ? J'arrive tout de suite ! » a-t-il dit avant de raccrocher.

« J'en déduis que c'était Perle ? » lui ai-je demandé.

« Oui. Elle est au centre-ville avec Boucle d'or. Il semblerait que le Petit Poucet soit coincé dans un arbre ! Les pompiers sont sur place. Tu viens ? »

« D'accord. »

Nous sommes allés rejoindre nos amis en quatrième vitesse, mais à notre arrivée en bordure du parc, je n'ai vu ni pompiers, ni Petit Poucet qui criait à l'aide.

« Où sont-ils ? ai-je demandé à Grincheux. Il faut vite venir en aide au Petit Poucet avant qu'il ne subisse le même sort que Humpty Dumpty ! »

« Ils sont là-bas, derrière l'aréna », a indiqué Grincheux en me tirant par la main. Nous avons contourné le grand édifice, et sitôt arrivés de l'autre côté, j'ai aperçu des banderoles, des ballons et des guirlandes colorées.

« SURPRISE ! » se sont écriés mes amis. J'ai alors aperçu Gepetto et Bleutée qui me tendaient un gâteau d'anniversaire. Ils étaient entourés de tous mes copains de Livredecontes !

« Ça alors ! Vous m'avez préparé une surprise pour mon anniversaire ? Mais ce n'est que dans deux jours ! »

« Je sais, et nous t'avons bien eu ! » s'est écrié Dormeur en me tendant la main.

« Merci, les amis. Je suis très ému de vous voir ici ! Je ne m'attendais pas du tout à cela ! »

Perle a aussitôt fait signe aux troubadours de Livredecontes, qui se sont mis à jouer de la musique. J'ai fait le tour pour saluer tous mes invités. Une quarantaine de personnes s'étaient déplacées pour célébrer mon anniversaire, et je crois que je n'avais jamais ressenti une aussi grande joie de toute ma vie !

« Merci, Gepetto ! Merci, Bleutée ! Quel beau cadeau vous m'avez fait ! »

J'ai senti mon nez me chatouiller, signe qu'il s'apprêtait à s'allonger.

« Oh, non ! me suis-je dit. Ce n'est vraiment pas le moment de se mettre à se détraquer ! »

« Eh, Pinocchio ! Tu veux venir jouer au ballon avec nous ? » m'a alors proposé Perle.

« Oui ! Avec plaisir ! » ai-je répondu.

Mon nez s'est mis à s'allonger.

« C'est bon, le pantin ! Pas besoin de te forcer si tu n'en as pas envie ! » s'est écriée Blanche-Neige en posant les mains sur ses hanches.

« Mais non ! Je vous assure que je veux jouer avec vous ! »

Mon nez a de nouveau fait des siennes.

« Pinocchio ? Que se passe-t-il ? Tu n'as pas envie de t'amuser avec tes amis ? s'est alors enquis

Gepetto. C'est pourtant la raison qui nous a poussés à t'organiser une fête surprise ! Je croyais que tu allais être ravi de passer du temps avec eux. »

« Bien sûr que j'ai envie de jouer avec eux, Gepetto ! »

Mon nez s'est allongé de quelques centimètres.

« Mais je ne sais pas pourquoi mon nez s'allonge ! Je vous dis pourtant la vérité ! »

« Si tu n'as pas envie de jouer au ballon, nous pouvons jouer au baseball ! a lancé Blanche-Neige. Ton nez nous servira de bâton ! »

« Sinon, nous pourrions exécuter des sauts en hauteur, et le nez de Pinocchio pourrait nous servir de barre ! » a renchéri Boucle d'or.

« C'est assez ! a crié Grincheux. Cessez de vous moquer de Pinocchio ! C'est son anniversaire, après tout ! Et s'il prétend qu'il dit la vérité, alors nous devrions le croire ! »

« Le problème, c'est qu'il ment si souvent que ça devient difficile de le croire », a rétorqué le Petit Poucet.

Je savais qu'il avait raison. Mon nez m'a trahi en plusieurs occasions dans le passé, et mes amis savent que j'ai tendance à mentir. Le problème, c'est qu'à ce moment-là, je disais la vérité, mais que je n'avais aucun moyen de le prouver.

« Jouez sans moi, leur ai-je dit d'un ton triste. Je vais aller me balader. »

Je me suis dirigé vers un banc situé à l'ombre d'un peuplier. Grincheux, Dormeur, Carabosse et Bleutée sont venus me rejoindre quelques instants plus tard.

« Pinocchio, ne te laisse pas abattre par les mauvaises langues », m'a dit Dormeur.

« Après tout, c'est toi qui sais ce qui est vrai ou non ! » a ajouté Carabosse.

« Moi, j'ai confiance en toi », m'a dit Bleutée en souriant.

« Et tu penses que Gepetto me croit, lui aussi ? »

Boucle d'or nous a alors lancé le ballon sans donner à Bleutée la chance de me répondre.

« Allez, venez jouer ! » nous a-t-elle proposé.

J'ai décidé de suivre mes amis et j'ai réussi à m'amuser sans trop penser à mon nez.

Je ne sais pas ce qui se passe avec moi, mais je dois trouver une façon de régler mon problème avant que cela ne me cause encore plus d'ennuis !

17 juin

Aujourd'hui, c'est mon anniversaire, et j'en ai profité pour passer du temps avec Gepetto. Nous sommes allés faire des courses au village, puis je l'ai aidé à terminer la construction d'une table pour la mère Michel avant de cuisiner un pâté au poulet avec Bleutée.

« Je me suis dit que je laisserais tomber le soja pour ton anniversaire ! » m'a-t-elle dit en riant.

« Tu sais ce qui serait encore plus génial ? » lui ai-je demandé.

« Non, mais je t'écoute. »

« Laisser tomber le soja pour l'éternité ! Je crois que ce serait un super cadeau d'anniversaire ! »

« Tes désirs sont des ordres », m'a-t-elle répondu avec un clin d'œil.

Nous étions en train de partager un gâteau au chocolat lorsque quelqu'un a frappé à la porte.

« Pinocchio ! Boucle d'or demande à te voir », m'a alors annoncé Gepetto.

Je me suis avancé vers la porte, et j'ai aperçu Boucle d'or qui discutait toute seule.

« Euh... Boucle d'or ? Tout va bien ? » me suis-je inquiété.

« Oui, mais cette jeune fille n'est pas très bavarde ! » m'a-t-elle répondu.

« Quelle jeune fille ? Il n'y aucune jeune fille ici ! »

« Bien sûr que si ! Je vois son reflet dans la fenêtre ! »

J'ai tendu le cou vers la fenêtre de la maison que désignait Boucle d'or, mais je n'ai rien vu d'autre que son propre reflet.

« Euh... Boucle d'or, la jeune fille que tu vois, c'est toi. »

Boucle d'or a cligné des yeux à plusieurs reprises, puis elle a agité son bras devant elle pour vérifier ma théorie.

« Ouais... Euh... C'est bien ce que je disais. Je ne suis pas très bavarde aujourd'hui. » dit-elle, gênée.

« Alors, tu voulais me voir ? » lui ai-je demandé au bout d'un moment.

« Oui. Je voulais te parler de quelque chose. »

« Je t'écoute. »

Boucle d'or m'a dévisagé sans dire un mot.

« Boucle d'or ? Ça va ? »

« Non », m'a-t-elle répondu.

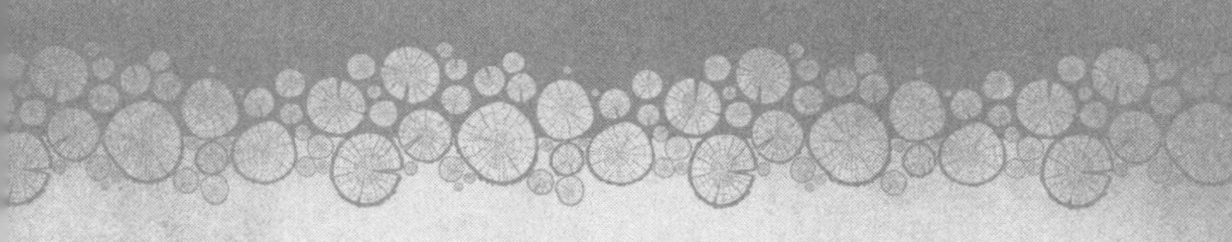

« Oh... J'espère que ce n'est rien de grave ! Est-ce que tu t'es disputée avec Robinson ?

« Non. Mon chéri va très bien. Il est parti en voyage d'affaires pendant trois semaines. Il est allé offrir des cours de méditation à l'Université des Grands Héros. »

Boucle d'or s'est interrompue, puis elle s'est mise à entortiller une mèche de ses cheveux d'un air pensif.

« Boucle d'or ? » l'ai-je interpellé au bout de plusieurs secondes.

« Pardonne-moi, j'étais dans la lune. Je trouve que mes boucles sont difficiles à coiffer ces temps-ci, et ça me préoccupe. »

« Euh... Et en quoi est-ce que cela me concerne ? »

« Connais-tu un bon coiffeur ? » m'a-t-elle demandé avec de grands yeux.

« Non. C'est Gepetto qui coupe mes cheveux, et je ne crois pas être un expert dans le domaine. Pourquoi ne demandes-tu pas à Blanche-Neige, à Belle ou à Cendrillon ? »

« Oui, c'est une bonne idée. »

« Et tu venais ici simplement pour me demander si je connaissais un bon coiffeur ? »

« Euh, non, m'a-t-elle finalement avoué. Je voulais te parler de ton nez. Tu n'es peut-être pas un fin connaisseur du domaine capillaire, mais je crois que tu t'y connais plutôt bien en matière de nez. »

« Et que veux-tu savoir ? »

« En fait, je souhaiterais faire un reportage à propos de ton nez. »

« Pourquoi ? Qu'est-ce qu'il a, mon nez ? » ai-je demandé, un peu sur la défensive.

Boucle d'or m'a dévisagé.

« C'est bon, ai-je soupiré. Tu n'as pas à répondre à cette question. Mais pourquoi faire un reportage sur mon nez maintenant ? »

« Parce que les gens parlent beaucoup de toi depuis ton anniversaire, et que mon travail est d'aborder les thèmes d'actualité. Depuis que je suis à la tête du *Téléjournal de Livredecontes*, les gens respectent énormément mon opinion. Et qui peut les en blâmer ? »

Elle s'est interrompue pour se contempler dans la fenêtre. Apparemment, elle avait enfin compris qu'il s'agissait de son reflet.

« Euh, je comprends que tu fais un travail très important, mais je n'ai rien à dire à propos de mon nez, à part qu'il me cause bien des soucis. Ces temps-ci, il a tendance à s'allonger même lorsque je dis la vérité. »

« Hum... c'est intéressant, a-t-elle dit en écrivant dans son carnet de notes. Irais-tu jusqu'à dire que tu dis tout le temps la vérité ? »

« Hum... Ouais. »

Mon nez s'est aussitôt mis à pousser.

« Et pourquoi ton nez est-il en train de s'allonger ? Est-ce lié à un problème technique ou parce que tu m'as menti ?»

« Eh bien... Disons que j'ai peut-être embelli la réalité. »

« Alors comment savoir s'il s'allonge parce que tu mens, ou parce qu'il est déréglé ? »

« La seule façon de le savoir, c'est de me croire. »

« Donc, il faut croire que tu ne mens pas, même quand ton nez prétend que tu mens ? »

« C'est exact. »

Boucle d'or m'a regardé avec des yeux de merlan frit.

«Je ne comprends rien à ton histoire. Puis-je simplement dire que ton nez s'allonge quand tu mens ?»

«Non, puisqu'il s'allonge aussi lorsque je dis la vérité.»

La chanson préférée des Sept Nains (une ballade de Taylor Swift) a retenti, et Boucle d'or a répondu à son cellulaire.

«Oui ? Allô ? Oh, bonjour Petit Bonhomme de pain d'épices ! Quoi ? Oh ! Oui, j'arrive tout de suite !»

Elle a rangé son téléphone, puis elle a levé les yeux vers moi.

«Désolé, Pinocchio, mais Petit Bonhomme est prêt à me dévoiler le secret de son enrobage sucré, alors je dois filer. Mais fais-moi signe lorsque tu seras prêt à me révéler la vraie version des faits.

Puis, elle est partie sans se retourner.

Même si personne ne veut me croire, je dois absolument trouver une façon de leur prouver que je suis honnête et que mon nez est bel et bien déréglé.

20 juin

Je n'arrive pas à fermer l'œil après la journée épouvantable que je viens de passer. Lorsque j'y repense, j'en ai encore des frissons. Tout a commencé ce matin. Bleutée et Gepetto étaient partis faire des courses au village, et j'étais confortablement installé devant la télévision pour écouter les *Pantins de la danse*, lorsque quelqu'un a sonné à la porte.

En ouvrant, je me suis retrouvé face à face avec une dame âgée d'une cinquantaine d'années, qui tenait un carnet de notes dans ses mains.

« Oui ? Puis-je vous aider ? »

« Bonjour, mon petit. Je m'appelle Madame Tartempion et je suis ici pour vous faire remplir un sondage portant sur des thèmes très génériques pour le recensement de Livredecontes. Puis-je entrer ? »

« Euh, d'accord. »

J'ai invité la dame à s'asseoir à la table de la salle à manger, puis je me suis installé en face d'elle.

« Je suis seul à la maison. Est-ce que ça vous convient si je réponds à vos questions ? »

« Mais bien sûr ! Du moment que tu réponds toujours la vérité ! »

Oh, oh ! Voilà un concept qui m'attire beaucoup d'ennuis depuis toujours.

« Euh, très bien. Allez-y. »

« Commençons par des questions très simples. Quel est ton nom, mon petit ? »

« Pinocchio. »

« Très bien. Et avec qui habites-tu ? »

« Avec Gepetto. Et sa fiancée Bleutée se joindra bientôt à nous. »

La dame a pris des notes.

« Et quel est ton travail ? »

« Je suis encore un enfant, mais j'aide parfois Gepetto à construire des meubles. Il est menuisier. »

« Très bien, a-t-elle répondu en griffonnant dans son carnet. Et puis-je savoir quel est ton repas favori ? »

« Les côtelettes de porc ! » ai-je répondu sans hésiter.

« Hum... Les Trois Petits Cochons ne seraient pas contents d'entendre cela... », a-t-elle dit tout bas.

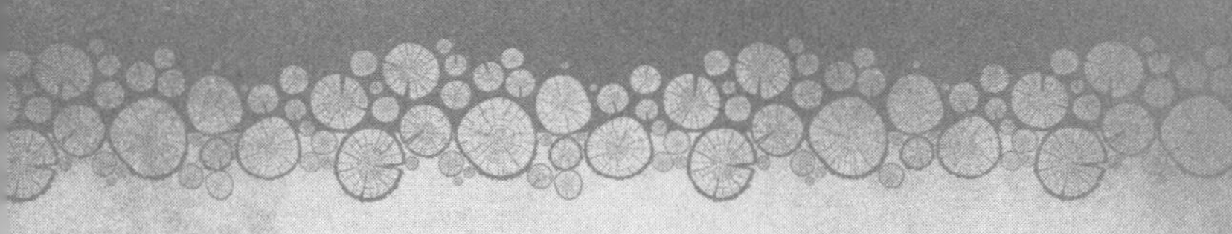

J'ai rougi et j'ai senti mon nez me chatouiller. Oh, non ! Pas encore !

« Et quelle est ton activité préférée ? »

« C'est dur à dire, car il y a tant de choses que j'aime faire. »

Mon nez s'est mis à s'allonger, et la dame a eu un mouvement de recul.

« Que se passe-t-il ? Pourquoi ton nez s'emballe-t-il de cette façon ? »

« Je n'en sais rien ! Je dis pourtant la vérité ! »

« Hum ? Que veux-tu dire par là ?»

« Normalement, mon nez s'allonge quand je mens, alors je ne comprends pas pourquoi il réagit en ce moment. »

« Il a peut-être mal compris ta réponse, m'a répondu la dame pour essayer de me calmer. Allons-y avec des questions très simples. Ainsi, nous serons certains que ton nez ne bougera pas. »

« D'accord. »

« Quelle est ton émission préférée ? »

« Facile ! C'est *Le pantin de mes rêves* ! »

Mon nez s'est encore allongé de plusieurs centimètres.

« Eh, oh ! Je t'ai demandé de dire la vérité ! » s'est écriée la dame.

« Mais je dis la vérité ! Je vous le jure ! »

Mon nez a continué de s'allonger pour s'arrêter à peine à quelques centimètres du visage de Madame Tartempion.

« Mais qu'essaies-tu de faire, mon petit ? Tu veux me blesser ? »

J'étais paniqué. Mon nez ne s'était jamais allongé aussi rapidement.

« Non ! Je vous assure que je ne sais pas ce qui se passe. Je crois que mon nez est détraqué ! »

Mon nez s'est agité de nouveau avant d'atteindre le mur. La dame s'est levée d'un bond et s'est précipitée vers la porte en brandissant son cellulaire vers moi.

« Bon, euh... Je crois que j'ai toutes les réponses que je voulais... alors... euh... je vais y aller. Bonne chance avec ta... condition. »

Elle est partie en coup de vent, me laissant seul dans la maison. Mon nez était si long qu'il me devenait difficile de bouger.

« Je dois absolument sortir d'ici avant de rester coincé », me suis-je dit en longeant le mur jusqu'à la porte d'entrée. Mais juste au moment où ma main s'apprêtait à toucher la poignée, mon nez s'est affolé de nouveau. Il s'est mis à se torsader ! Il ressemblait maintenant à une immense branche d'arbre !

« Oh, non ! Je suis coincé à l'intérieur ! À l'aide ! » ai-je crié avant de m'asseoir sur le sol.

J'ai mis plusieurs minutes à trouver une position dans laquelle mon nez ne touchait à aucun meuble, ni aucun mur de la maison, mais il avait tellement poussé qu'il m'était devenu impossible de sortir par la porte ou par les fenêtres. Je n'arrivais pas non plus à atteindre le téléphone. Il ne me restait qu'une seule chose à faire : attendre le retour de Bleutée et de Gepetto.

Et c'est ce que j'ai fait pendant cinquante longues minutes ! J'ai tout essayé pour me changer les idées et pour éviter de sombrer dans la panique totale : j'ai compté les moutons, j'ai chanté des comptines, j'ai récité le nom de tous les habitants de Livredecontes, mais peu importe ce que je faisais, je sentais tout de même une boule dans mon estomac.

Que se passait-il ? Pourquoi mon nez réagissait-il de cette façon ? Et surtout, allais-je trouver une façon de m'en sortir ?

Lorsque Gepetto et Bleutée sont finalement rentrés à la maison, ils se sont arrêtés net en me voyant étendu au sol, mon nez occupant toute la pièce.

« Nom d'une fée ! Que s'est-il passé ? » s'est écriée Bleutée en accourant vers moi.

« Une femme est venue ici pour un sondage, et quand j'ai répondu à ses questions, mon nez s'est mis à faire des siennes ! »

« Mais pourquoi lui as-tu menti de la sorte ? » m'a grondé Gepetto en essayant de faire bouger mon nez.

« Je ne lui ai pas menti, je te le jure ! Gepetto, tu dois me croire ! Mon nez a des problèmes mécaniques ! »

Mon nez en a aussitôt profité pour s'allonger davantage. Gepetto m'a regardé d'un air sévère.

« Pinocchio, cesse de mentir ! »

« Mais je ne mens pas ! Tu n'as qu'à vérifier ! Pose-moi une question dont nous connaissons tous les deux la réponse. »

« Très bien... Quel est le mammifère marin que tu crains le plus ? »

« La baleine ! » ai-je dit sans hésiter.

Mon nez s'est agité, puis il a poussé un peu plus.

« Tu vois ? me suis-je écrié. Je ne mens pas ! »

« Hum... Étrange ! a déclaré Gepetto en se grattant la tête. Peut-être qu'il a mal interprété la réponse ? Allons-y avec une autre question facile... Hum... Quel est le nom de ma fiancée ? »

« Bleutée ! » ai-je répondu.

Mon nez a de nouveau fait des siennes.

« Ça alors ! s'est exclamé Gepetto. Mais que se passe-t-il ? »

« À moins que tu aies une autre fiancée, je crois que Pinocchio a raison, mon chéri. Son nez est détraqué ! » est intervenue Bleutée.

« Gepetto, tu dois trouver une solution pour me sortir de cette fâcheuse position ! Je n'arrive même pas à bouger ! » ai-je lancé, désespéré.

« Je ne sais pas quoi faire, m'a-t-il répondu d'un air paniqué. Cela n'est jamais arrivé auparavant ! »

« Tu devrais appeler ma sœur, a suggéré Bleutée en m'aidant à m'asseoir un peu plus confortablement. Elle saura sûrement quoi faire ! »

« Tu as raison. La Fée Bleue a déjà sauvé Pinocchio, alors elle saura peut-être comment le secourir de nouveau ! »

Gepetto et Bleutée ont aussitôt fait appel à la Fée Bleue, qui est arrivée chez nous quelques instants plus tard. Après lui avoir fait un résumé de la situation, cette dernière a fait quelques recherches sur son téléphone intelligent afin de trouver une solution à mon problème.

« Alors ? l'a questionné Gepetto au bout de quelques minutes. Qu'as-tu découvert ? »

« Si le problème ne s'était produit qu'une seule fois, on aurait pu conclure que la condition de Pinocchio était éphémère et spontanée. Une formule magique aurait alors suffi pour régler la situation, et notre ami n'aurait plus jamais eu de problèmes de la sorte avec son nez... »

La fée s'est tue quelques instants. Je craignais la suite.

« Mais comme ce n'est pas la première fois, de quoi s'agit-il ? » ai-je demandé d'une petite voix.

La Fée Bleue m'a regardé d'un air triste.

« Tu souffres d'une mentirite aiguë. Je connais une formule magique qui règlera le problème pour le moment. Sauf que ton nez refera des siennes sous peu. Il s'agit d'une condition assez grave, et mes pouvoirs ne sont pas assez puissants pour te guérir. »

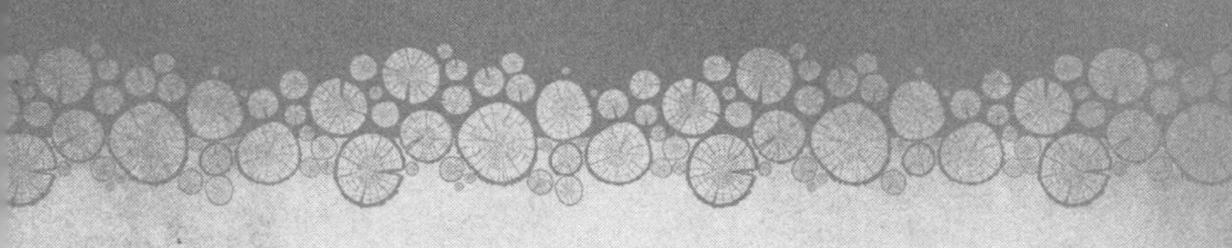

« Existe-t-il un remède ? » s'est inquiété Gepetto d'un air grave.

« Oui, mais il demande un peu de travail. La première étape est de trouver de quel bois est composé le nez de Pinocchio. Ensuite, il faut trouver des feuilles de cet arbre et les utiliser pour concocter une tisane avec de la sauge, de la cardamome, quelques graines de carvi et beaucoup de menthe. Si Pinocchio boit une grande gorgée de cette infusion, alors il sera guéri !

« Il ne me reste donc qu'une chose à faire, a annoncé Gepetto. Je dois plonger dans mes livres pour me rappeler de quel bois est composé le nez de Pinocchio. J'avoue que cette information m'est sortie de la tête. »

La Fée Bleue s'est alors tournée vers moi avant d'agiter sa baguette magique.

« Abracadabra ! Narine ! Narinus !
Narisam, Narisé ! Raccourcis-toi ! »

Mon nez a aussitôt repris sa taille normale.

« Merci, Fée Bleue ! me suis-je écrié en lui sautant dans les bras. Tu m'as encore sauvé ! J'ai retrouvé mon nez ! »

« Oui, mais n'oublie pas que ce n'est que de courte durée. Malheureusement, cette formule ne fonctionne qu'une seule fois, alors je vous souhaite de trouver rapidement l'arbre dont vous avez besoin pour concocter la tisane magique et ainsi régler ton problème au plus vite ! »

Bleutée a invité sa sœur à se joindre à nous pour le repas, et la Fée Bleue est partie juste après le dîner. Gepetto s'est, quant à lui, enfermé dans son atelier avec des tonnes de livres et de cahiers de notes pour essayer de découvrir le nom de l'arbre dont nous avons besoin. De mon côté, j'ai essayé de lire, d'écouter de la musique et de me détendre en prenant un bain, mais rien n'y fait : je n'arrive pas à oublier mon problème.

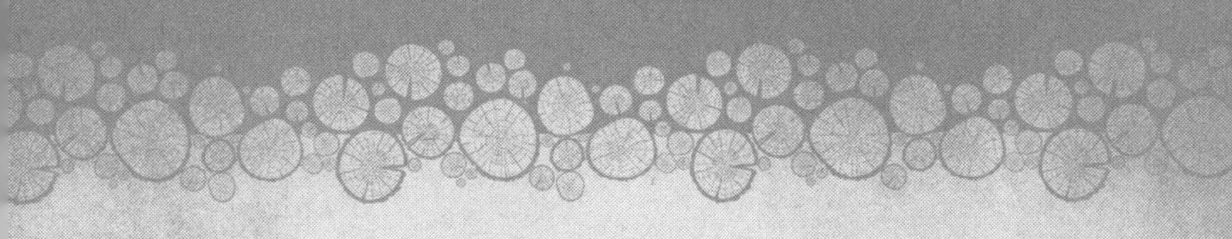

En plus de stresser à l'idée de me retrouver une fois de plus avec un nez de la taille d'un arbre, je crains que Madame Tartempion n'ait répandu la rumeur dans tout le village, et que les habitants de Livredecontes soient déjà au courant de ma mésaventure...

21 juin

C'est officiel : non seulement tout le village est au courant, mais depuis le petit matin, je suis le pantin le plus humilié de la planète.

Après mon réveil, je me suis rendu à la cuisine pour manger un bol de céréales et j'ai aperçu Gepetto qui était en train de lire le journal en buvant son café.

« Bonjour », lui ai-je dit.

Gepetto a aussitôt sursauté et a caché son journal derrière son dos.

« Que se passe-t-il ? » lui ai-je demandé.

« Euh... Rien, m'a-t-il répondu d'un ton nerveux. Tu m'as pris par surprise, c'est tout. »

« Hum ! ai-je fait distraitement en me servant du lait. Tu veux bien me prêter la section des bandes dessinées ? Ça va me changer les idées. J'en ai encore des frissons lorsque je repense à hier et j'ai très mal dormi cette nuit. »

« Pourquoi ne regardes-tu pas plutôt la télévision ? » a demandé Gepetto en tenant fermement le journal derrière lui.

Étrange... Gepetto est généralement très strict à propos de la télévision.

« D'accord », ai-je répondu avant qu'il ne change d'idée.

J'ai zappé pendant quelques minutes, mais comme aucune de mes émissions ne passait à cette heure-là, j'ai décidé de me lancer dans la lecture des bandes dessinées tandis que Gepetto était sous la douche. J'ai cherché son journal un peu partout, et je l'ai finalement retrouvé sous l'évier.

« Mais pourquoi Gepetto range-t-il son journal à cet endroit ? » Puis, une image a attiré mon attention : la photo d'une grosse branche occupait toute la page.

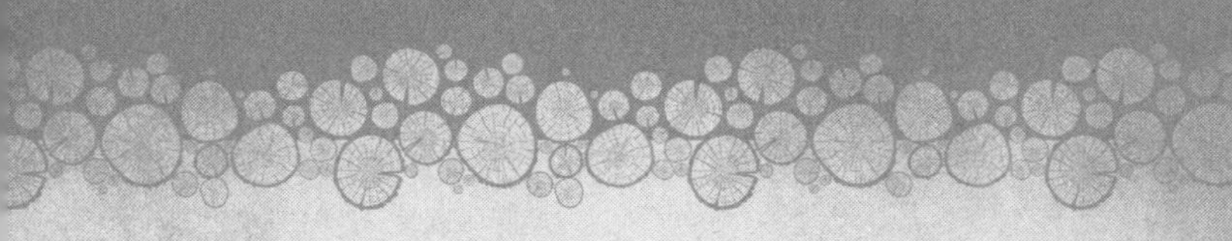

« Mais je reconnais cette branche ! C'est... C'EST MON NEZ ! » me suis-je exclamé d'un air horrifié.

Apparemment, Madame Tartempion était parvenue à prendre un cliché de moi avant de s'enfuir ! L'article disait « Un pantin emprisonné chez lui ! Pris au piège par ses propres mensonges ! »

« Que se passe-t-il ? » s'est écrié Gepetto en apparaissant dans la pièce vêtu de sa robe de chambre.

« Je fais la une du journal ! ai-je gémi. C'est la catastrophe ! »

« Oh ! C'est pour cette raison que je ne voulais pas que tu lises tes bandes dessinées ! Nom d'une pipe ! Je savais que ça allait te mettre dans tous tes états ! »

« En plus, c'est Boucle d'or qui a écrit l'article, alors que je lui avais expressément expliqué que je connaissais des problèmes mécaniques, et que mon nez grandissait même lorsque je disais la vérité ! Mais elle ne m'a pas cru ! Personne ne veut me croire ! » ai-je ajouté avant d'éclater en sanglots.

« Allons, mon petit ! a tenté de me consoler Gepetto. Tu sais bien que les gens de notre village ont besoin de preuves pour croire ce que l'on raconte.

Il ne faut pas te faire de mauvais sang à cause des bavardages. Je te promets que je vais trouver avec quel arbre j'ai fabriqué ton nez, et ta guérison prouvera à tous que tu n'es pas un menteur ! »

Les encouragements de Gepetto m'ont un peu redonné le sourire, mais j'avoue que je n'ai pas très envie de sortir de la maison aujourd'hui, ni d'affronter les regards et le jugement des habitants de Livredecontes. Je préfère me terrer chez moi et continuer à regarder la télévision !

22 juin

Ce matin, alors que je m'apprêtais à passer une autre journée enfermé chez moi, mes amis ont décidé de me rendre visite pour me convaincre de sortir de la maison et d'aller jouer avec eux.

« Allons, m'a encouragé Grincheux sur le pas de la porte. Tu ne peux pas rester cloîtré chez toi pour toujours. Il faut que tu sortes d'ici et que tu te changes les idées. »

« Grincheux a raison ! a poursuivi Perle. Ne te laisse pas abattre par les ragots. Viens t'amuser avec nous ! Ça te fera le plus grand bien ! »

« Mais j'ai peur que mon nez se mette à pousser et que les gens se moquent de moi. Je souffre d'une mentirite aigüe et je n'ai aucun contrôle sur la situation. »

« Quoi qu'il arrive, nous te défendrons, a renchéri Dormeur. Belle, Blanche-Neige et Boucle d'or sont déjà au lac. Nous allons les rejoindre et bien nous amuser. »

« Je ne peux pas nager. L'eau me crée des rhumatismes. »

« Oups ! J'oubliais que tu es fait de bois. »

« Alors, nous irons pêcher », a proposé Grincheux.

« J'ai peur des poissons, des mammifères marins et de tout ce qui nage », lui ai-je rappelé.

« Oups ! Je ne pensais plus à cette histoire de baleine. »

« Je sais ! s'est exclamée Perle. Tandis que les autres s'amuseront dans l'eau et pêcheront, toi et moi irons marcher dans les bois. Nous pourrions même rendre visite à Reine ! »

Mes trois amis m'ont supplié du regard.

« C'est bon. D'accord », ai-je fini par accepter.

J'ai enfilé une tenue de camouflage en espérant que cela puisse m'aider à passer inaperçu dans la forêt. Comme il faisait un temps radieux, je n'avais aucune envie de tomber sur quelqu'un faisant une balade et ayant envie de se moquer de moi.

Lorsque j'ai rejoint mes amis à l'extérieur, j'ai bien vu qu'ils se retenaient pour ne pas rire.

« Pourquoi es-tu vêtu de la sorte ? m'a demandé Perle. On dirait que tu pars à la chasse ! »

« C'est le cas, ai-je répondu en soupirant. À part que dans les circonstances, je suis l'animal traqué qui essaie de fuir ses prédateurs. »

« Allons, m'a dit Grincheux en m'entraînant sur le sentier. Tu verras, nous aurons beaucoup de plaisir, et tu oublieras tes soucis. »

Nous nous sommes rendus jusqu'au lac en sifflotant, mais sitôt arrivés près de la rive, mes jambes se sont mises à craquer.

« Désolé, me suis-je excusé. Ça ne m'est jamais arrivé auparavant. Je crois que ma mentirite amplifie l'effet de l'humidité sur mes membres de bois. »

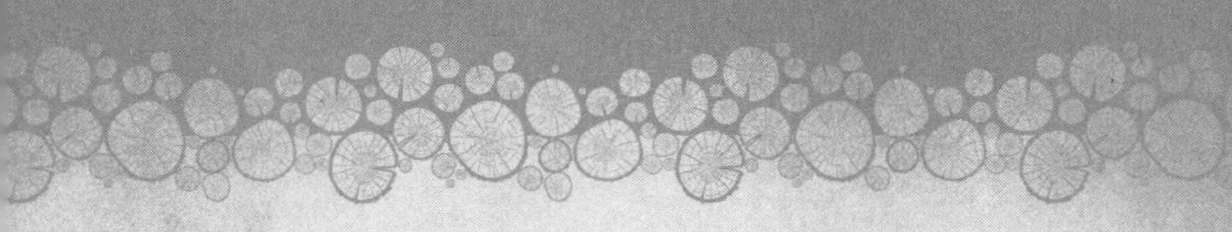

« Alors, éloignons-nous d'ici au plus vite », m'a dit Perle en me tirant par la main.

Grincheux et Dormeur ont pris leurs cannes à pêche et se sont dirigés vers le lac. J'entendais les rires de Belle, Blanche-Neige et Boucle d'or résonner au loin.

« Es-tu certaine de ne pas vouloir aller nager avec tes amies ? » ai-je demandé à Perle pour la trentième fois.

« Oui, m'a-t-elle répondu en souriant. En vérité, je n'aime pas beaucoup nager. Je préfère jouer à cache-cache dans les bois ! »

Elle s'est aussitôt mise à courir sur le sentier.

« Compte jusqu'à vingt, puis essaie de me trouver ! » a-t-elle lancé.

J'ai finalement trouvé Perle derrière un arbre.

« C'est à mon tour de compter ! Va te cacher ! »

J'ai regardé autour de moi et j'ai décidé de me dissimuler dans un immense tas de feuilles. J'ai entendu Perle compter jusqu'à vingt, puis partir à ma recherche.

« Tu es introuvable, s'est-elle exclamée en passant près de moi. Je ne te vois nulle part ! »

Alors que je m'apprêtais à sortir de ma cachette pour la surprendre, quelque chose m'a piqué la fesse droite et m'a fait sauter dans les airs.

« AÏE ! ai-je hurlé de douleur. Ma fesse ! Quelque chose m'a attaqué ! »

Perle s'est aussitôt précipitée vers moi.

« Que se passe-t-il ? Pourquoi cries-tu comme ça ? »

« Quelque chose m'a piqué la fesse ! Au secours ! » ai-je continué à crier en bondissant dans tous les sens.

« Est-ce que tout va bien ? » s'est alarmé un homme derrière nous.

« Henri ? » s'est étonnée Perle en apercevant l'époux de Reine, qui accourait vers nous en trimballant un arc et des flèches.

« Euh !... Je pratiquais le tir à l'arc, mais je n'ai pas vu Pinocchio qui se cachait dans le tas de feuilles ! Avec sa tenue, il a tout un camouflage ! Est-ce que tu vas bien, mon garçon ? »

« Non, ai-je pleurniché. J'ai une flèche dans la fesse ! »

« Ouais... Euh... Je sais. Je suis désolé, s'est excusé Henri, visiblement mal à l'aise. Je te propose de venir à la maison. Reine saura quoi faire. »

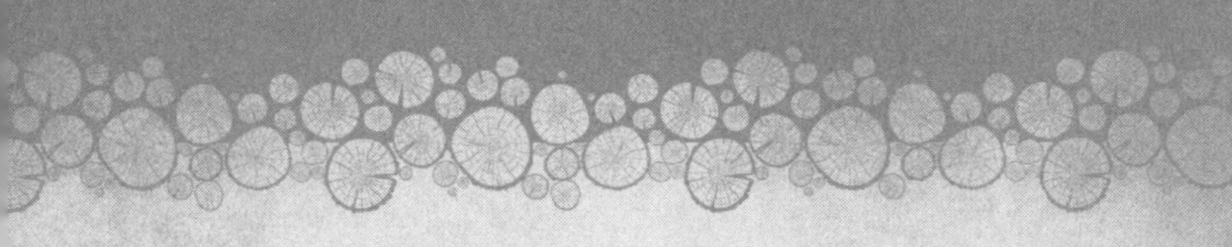

J'ai marché péniblement jusqu'à la maison de Reine et Henri, suivi de près par mon amie Perle, qui essayait de me faire rire en faisant des grimaces.

« Une chance que Boucle d'or n'est pas ici, ai-je soupiré. Sinon, j'aurais droit à un autre article humiliant dans le journal, du genre "La fesse engourdie par le mensonge" ! »

« Ou alors "Une flèche dans la fesse, mais le mensonge dans le cœur" ! » a blagué Perle à son tour.

J'ai alors vu Reine qui sortait en trombe de sa maison après nous avoir aperçu par la fenêtre.

« Mais que s'est-il passé avec Pinocchio ? » s'est-elle émue en accourant vers nous.

« Euh... Je m'entraînais au tir à l'arc et je ne l'ai pas vu. À ma défense, il se confondait vraiment avec le tas de feuilles dans lequel il s'était installé ! »

« Henri ! Combien de fois t'ai-je répété de laisser tomber les flèches ! Je savais bien qu'un malheur finirait par arriver ! »

Reine nous a invités à rentrer pour m'examiner. Après avoir constaté (avec un grand soulagement) que la flèche était coincée dans mon pantalon et n'avait causé qu'une petite éraflure sur ma fesse, elle l'a jetée à la poubelle en grommelant quelque chose à propos des sports dangereux et de Henri qui ne voulait jamais l'écouter.

« Je suis vraiment désolé de ce qui s'est passé, Pinocchio », a répété Henri, piteux.

« Je m'apprêtais justement à servir le repas, a poursuivi Reine. La moindre des choses est que nous vous invitions à vous joindre à nous pour vous remettre de vos émotions ! »

Comme mon ventre gargouillait, j'ai accepté avec joie.

« En plus, j'ai concocté ma spécialité : une bonne fricassée de tofu ! »

Mon sourire s'est aussitôt estompé. J'ai jeté un regard paniqué en direction de Perle, qui est venue à ma rescousse.

« Euh... En fait, Reine, ce que tu dois savoir... c'est que Pinocchio souffre d'une grave maladie qui affecte son nez, mais aussi son estomac. »

« Oui, ai-je enchaîné. Cette maladie me cause des allergies, et le tofu fait partie de la liste. »

J'ai senti mon nez s'allonger. J'ai fait de grands yeux à Perle pour qu'elle me vienne en aide encore une fois.

« Oh, quelle tristesse ! s'est troublée Reine. Tu devras te passer de tofu pour le reste de ta vie. »

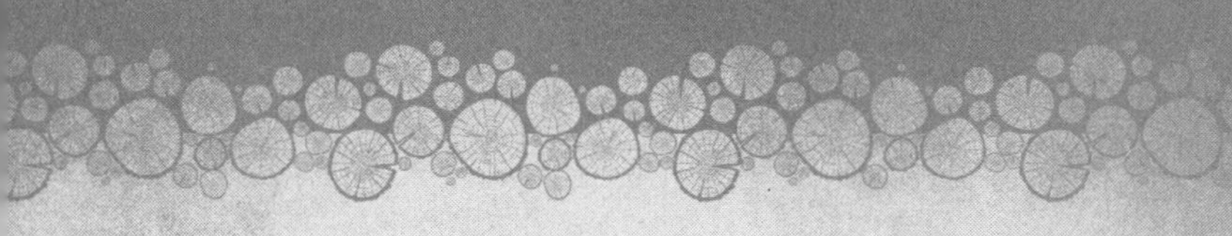

« En fait, il est allergique à tout ce qui est à base de soja et de luzerne... Sans oublier le foie de veau ! » s'est interposée Perle en me faisant un clin d'œil. Heureusement qu'elle était là pour me sortir de l'embarras, car mon nez m'empêchait toujours de mentir !

« Bref, c'est gentil, Reine, mais je vais devoir me passer de ta... hum... fricassée. »

« Est-ce que je peux au moins t'offrir un morceau de gâteau ? » m'a-t-elle proposé en souriant.

« Oh ! Oui ! J'adore le gâteau ! » ai-je répondu sans hésiter.

« Génial ! C'est la première fois que je l'essaie ! C'est un savoureux fondant au chocolat et aux choux de Bruxelles. »

J'ai senti mon estomac se nouer.

« Oh ! Quel dommage ! s'est aussitôt écriée Perle. Pinocchio est aussi allergique aux choux de Bruxelles. Tout comme moi, d'ailleurs. »

J'ai retenu un petit rire, et j'ai finalement accepté les deux biscuits aux brisures de chocolat et le verre de lait que Reine m'offrait. Après avoir discuté de la température et du nouvel édifice de la Banque du Lingot Doré de Livredecontes, Perle et moi avons fait nos adieux à nos hôtes et nous avons repris le chemin de la maison.

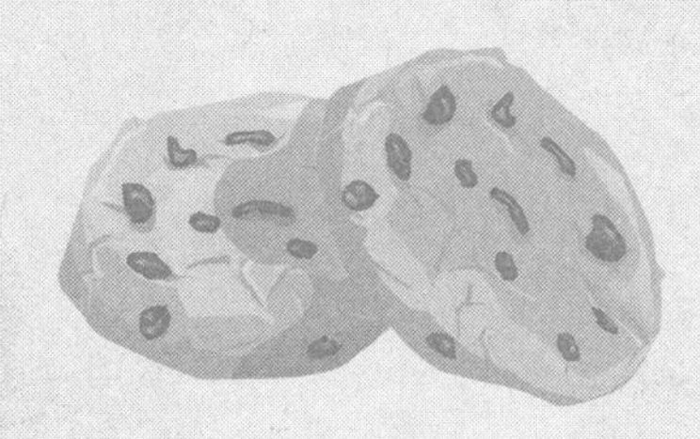

« Merci, Perle ! ai-je dit en riant. Tu m'as sauvé la vie. Je ne crois pas que j'aurais pu supporter une seule bouchée de sa fricassée. »

« Et avoue que malgré l'incident avec Henri, tu t'es bien amusé aujourd'hui ! » m'a-t-elle fait remarquer en souriant.

« Oui, c'est vrai ! Et la flèche de Henri m'a même fait oublier mon nez ! »

« Et on pourra dire que ta condition t'a même été utile aujourd'hui ! »

Quand je suis rentré chez moi, j'ai dévoré l'assiette de veau marengo que Bleutée m'avait mise de côté.

En fin de compte, je suis content d'avoir écouté mes amis et d'être sorti de la maison. J'espère seulement que les prochains jours se révéleront aussi distrayants qu'aujourd'hui.

25 juin

Ce matin, Gepetto m'a réveillé à l'aube en me secouant.

« Pinocchio ! Réveille-toi ! J'ai enfin trouvé ! »

« Hein ? Quoi ? ai-je balbutié d'une voix endormie. Que se passe-t-il ? Est-ce que mon nez s'est allongé dans mon sommeil ? »

« Non, m'a rassuré Gepetto, mais j'ai découvert dans quel bois il a été façonné ! »

Je me suis bien redressé dans mon lit.

« Je t'écoute. »

« Je savais bien que j'avais noté l'origine du bois quelque part ! Il a fallu que je ressorte tous mes cahiers de notes, mais j'ai enfin trouvé. Ton nez est fait de bois de pin parasol ! »

« MON NEZ EST UN PARASOL ?! » me suis-je étonné.

« CHUT ! Ne crie pas si fort ; tu vas alerter tout le voisinage ! Je ne dis pas que ton nez est un parasol. Je dis qu'il est fait à partir d'un arbre qui s'appelle un pin parasol et qui ressemble à cet objet. »

« Alors, ne perdons pas une minute. Allons vite chercher des feuilles de ce pin parapluie, ou plutôt des aiguilles, pour que je sois guéri. »

Je me suis levé d'un bond et j'ai enfilé la même tenue de camouflage que quelques jours auparavant.

« Pas si vite ! m'a soufflé Gepetto. Premièrement, tu ne vas pas sortir habillé de la sorte. Ta combinaison t'a déjà causé suffisamment d'ennuis. Deuxièmement, le soleil n'est même pas encore levé. Et troisièmement, le pin parasol se trouve dans une région assez éloignée d'ici... »

« Où ? » ai-je fait tout de go.

« Nous trouverons des épines sur la plage du Soleilcouchant, dans la contrée lointaine de Livreillustré. »

« Et comment pouvons-nous nous y rendre ? À pied ? En vélo ? Je suis même prêt à nager et à souffrir des articulations, si ça peut me guérir ! »

« Livreillustré est situé bien trop loin pour qu'on s'y rende à pied ou en vélo ! Nous pourrions prendre l'autobus, mais avec toutes les correspondances, je crains que cela ne nous fasse perdre bien du temps ! Le mieux serait d'y aller en voiture... »

« Oh, oui ! J'adore les balades en voiture ! »

« Mais tu oublies quelque chose. »

« Quoi ? »

« Je n'ai pas de permis de conduire ni d'automobile. »

« Oh ! Alors que ferons-nous ? »

« Je vais essayer de trouver quelqu'un pour nous conduire. Mais pour l'instant, le mieux à faire est de te rendormir. Nous évaluerons nos possibilités plus tard dans la journée. »

Cela fait maintenant quarante minutes que je tourne et me retourne, mais je n'arrive évidemment plus à fermer l'œil. Je suis trop excité à l'idée de partir à l'aventure et de trouver le remède pouvant me guérir de mon étrange maladie.

27 juin

Je suis enfermé dans ma chambre et j'attends que Bleutée et Perle aient terminé de discuter avec Gepetto.

Je m'explique. Après avoir passé près de deux jours à nous creuser les méninges, Gepetto et moi, pour essayer de trouver une personne qui nous emmènerait dans la contrée de Livreillustré, Perle et Grincheux se sont finalement portés à notre secours en nous proposant une solution miracle !

J'étais assis avec Bleutée et Gepetto quand mes amis ont frappé à la porte.

« Que faites-vous là ? » ai-je demandé en les apercevant dans la véranda.

« Nous avons entendu parler de ton problème. Nous croyons avoir une solution », a commencé Grincheux.

« Vous voulez couper mon nez ? » ai-je demandé, pince-sans-rire.

« Non, nous parlons de ton autre problème. Belle nous a raconté que Prince Sauveur lui avait dit que Beau Prince avait entendu au supermarché l'épicier qui discutait avec la mère Michel à propos de Bleutée qui se cherchait une voiture et un chauffeur pour se rendre jusqu'à la plage du Soleilcouchant », a enchaîné Perle.

Je l'ai regardée sans trop comprendre.

« La mère Michel aurait dit à l'épicier que Carabosse avait eu une conversation téléphonique avec Bleutée à propos de toi », a poursuivi Grincheux.

« Euh... Je ne suis pas sûr de vous suivre », leur ai-je dit d'un air perplexe.

« En gros, j'ai finalement vérifié avec Bleutée. J'ai compris que vous aviez trouvé l'arbre que vous recherchiez pour te guérir de ta mentirite, mais que vous n'aviez pas de moyen pour vous rendre jusqu'à la plage où il se trouve », a récapitulé Perle en souriant.

« En effet, leur ai-je confirmé en les invitant à entrer dans la maison. Nous avions pensé nous y rendre en train ou en autobus, mais cela rallongerait notre voyage de plusieurs jours. Nous avons ensuite demandé à Blanche-Neige d'être notre conductrice, mais elle ne voulait pas manquer sa séance de manucure ni son rendez-vous chez le masseur. Quant à Henri, il nous a annoncé que son alternateur était en panne... »

« Ne t'en fais pas ! Nous avons trouvé la solution », s'est enthousiasmée Perle en souriant.

« Atchoum a accepté de nous y conduire à bord de sa toute nouvelle décapotable ! » a ensuite énoncé Grincheux.

« Oh ! C'est très généreux de sa part, ai-je répondu, mais c'est un très long voyage. La plage du Soleilcouchant est si loin que nous mettrons plusieurs jours pour nous y rendre. Je me sentirais trop mal à l'aise de vous imposer une telle aventure. »

« Tut, tut ! m'a interrompu Perle. Tu n'as aucun souci à te faire. Grincheux et Atchoum sont très excités à l'idée de se rendre à la plage. »

« C'est vrai, a acquiescé Grincheux. Et les autres nains pourront prendre soin de l'entrepôt d'Henri pendant notre absence. Après ce que tu as fait pour Dormeur, je crois que c'est la moindre des choses de t'aider à mon tour. »

« Merci, les amis. C'est très gentil ! Je vais m'empresser d'annoncer la nouvelle à Gepetto ! »

« Attends avant de lui en parler », m'a arrêté Perle en me retenant par le bras.

« Pourquoi ? Que se passe-t-il ? »

« Quand j'ai annoncé à Boucle d'or que nous pensions partir à l'aventure avec toi, elle a insisté pour faire partie du voyage. Au début, je lui ai dit que je ne croyais pas qu'il s'agissait d'une bonne idée, mais elle a insisté en me certifiant qu'elle ne nous causerait pas d'ennuis… »

« Pas question que Boucle d'or soit du voyage ! me suis-je aussitôt exclamé. Elle a fait de moi la risée de tout le village avec son article. Je ne lui fais pas confiance. »

« Je comprends que tu sois sur tes gardes, a convenu Grincheux, mais je suis bien placé pour te dire que Boucle d'or peut être d'une très grande utilité. Lorsque j'ai retrouvé le sourire, c'est elle qui a réussi à convaincre toute la population de Livredecontes que j'étais bel et bien heureux, et que je n'étais pas un être constamment en colère contre l'humanité. Elle a beaucoup d'influence au sein du village. Je crois que ça pourrait t'aider qu'elle se joigne à nous. »

« Grincheux a raison, a acquiescé Perle. Ma cousine peut parfois nous donner du fil à retordre, mais elle peut aussi être grandement utile. Elle m'a dit qu'elle voulait faire un reportage sur toi, et que cette aventure tombait pile-poil ! »

J'ai réfléchi quelques instants. Même si j'étais encore en colère contre Boucle d'or, je savais que mes amis avaient raison.

« Mais si elle vient, nous serons cinq dans la voiture ! Et Gepetto ne pourra pas se joindre à nous. Vous croyez vraiment qu'il me laissera partir sans lui dans une contrée inconnue ? »

« J'ai téléphoné à Bleutée un peu plus tôt, et elle est déjà au courant de la situation. Nous nous sommes entendues pour discuter avec Gepetto afin de le convaincre... »

« C'est gentil, mais je ne crois pas que vous ayez des arguments assez solides pour qu'il accepte... »

« Ça, c'est parce que tu sous-estimes le pouvoir de ces gentes dames, m'a lancé Grincheux en souriant. Si Perle m'a fait retrouver le sourire, je suis confiant que Bleutée et elle arriveront à persuader Gepetto de te laisser partir. Allez, viens ! Allons jouer à la console pendant que les filles discutent avec lui. »

Grincheux m'a entraîné dans ma chambre. Il essaie de battre son propre record au jeu du *Vilain Petit Canard*, depuis plus de trente minutes. Quant à moi, j'attends impatiemment la décision de Gepetto. Je croise les doigts pour que les filles arrivent à le convaincre.

27 juin (un peu plus tard)

Grincheux avait raison. Apparemment, il ne faut pas sous-estimer le pouvoir de persuasion des filles, car elles ont réussi à convaincre Gepetto de me laisser partir avec mes amis. Perle m'a raconté qu'au tout début, il n'était vraiment pas chaud à l'idée, mais que Bleutée et elle l'avaient convaincu que la présence de mes amis allait suffire. Qu'il était même préférable qu'il reste ici entre-temps pour superviser le travail dans son atelier de meubles, d'autant plus qu'il a reçu une immense commande de la part des Trois Petits Cochons, qui ont décidé de réaménager leur cuisine.

Nous avons donc convenu de prendre la route après-demain à l'aube. Ce sera un long voyage. Je sais que je ne suis pas au bout de mes peines, mais j'ai confiance qu'avec mes amis, nous arriverons à trouver des épines de pin-machin qui me guériront de ma maladie !

28 juin

Aujourd'hui, mon nez m'a encore causé des soucis. J'avais prévu une réunion avec Atchoum, Boucle d'or, Perle et Grincheux à la maison des Sept Nains vers 14 h pour discuter de notre voyage, mais en chemin, j'ai croisé Tic qui se baladait gaiement.

« Salut, Pinocchio », m'a glissé Tic.

« Salut ! Où vas-tu comme ça ? »

« Visiter la nouvelle maison de Hansel et Gretel. Il semblerait qu'ils aient commandé trop de matériaux de construction et qu'ils aient tout plein de friandises à offrir aux passants ! Tu m'accompagnes ? »

Je savais que mes amis m'attendaient et que je ne devais pas être en retard, mais l'attrait des sucreries a eu raison de moi.

« D'accord, mais je dois faire vite, car mes amis m'attendent ! »

Une fois arrivé devant la maison de Hansel et Gretel, j'ai croisé Reine, la mère Michel et Carabosse qui ont voulu prendre de mes nouvelles.

« Nous sommes bien tristes de savoir que tu es malade, mon pauvre Pinocchio », m'a gentiment dit la mère Michel.

« Les gens du village prétendent que c'est parce que tu mens, mais ne t'en fais pas, nous sommes là pour les ramener à l'ordre », m'a soufflé Reine.

« Bleutée nous a appris que Gepetto avait découvert où se trouve l'arbre qui peut te guérir. J'espère que tout ira bien », a ajouté Carabosse.

« Merci, les amies. C'est gentil d'avoir votre soutien », ai-je répondu en mordant dans une guimauve.

« Eh, attention ! Pinocchio est là ! Il risque de vous faire trébucher avec son long nez ! » a alors ricané le Petit Poucet, qui se tenait de l'autre côté de la rue.

« Ne te moque pas de lui, s'est fâchée Carabosse. Pinocchio souffre d'une grave maladie, et il vous le prouvera dans les prochains jours ! »

Un groupe de personnes m'ont regardé d'un air perplexe, puis elles se sont mises à chuchoter.

« Ils parlent encore de moi, ai-je dit en baissant les yeux. J'en ai assez d'être au centre des ragots du village. »

« Ne sois pas triste, a voulu me consoler Tic en me tendant un bol de friandises. Tiens, prends un morceau de caramel, ça te redonnera le sourire. »

« Merci, Tic. »

« Et quand comptez-vous partir à la recherche de cet arbre ? » s'est informée Reine en sirotant un chocolat chaud.

J'ai aussitôt jeté un coup d'œil à ma montre.

« OH, NON ! Je suis en retard ! Mes amis m'attendent justement chez les Sept Nains pour organiser le voyage. Je dois filer au plus vite. »

Je me suis précipité chez les Sept Nains, où Perle, Grincheux et Atchoum m'attendaient impatiemment. Ils avaient l'air furieux. Boucle d'or s'était, quant à elle, installée sur une chaise longue et se faisait bronzer en tapotant sur le clavier de son téléphone intelligent.

« Désolé du retard, les amis », me suis-je excusé, tout haletant.

« Mais où étais-tu ? Nous t'attendons depuis plus d'une demi-heure ! » m'a reproché Grincheux.

« J'étais si inquiète ! J'avais peur que tu sois encore resté coincé chez toi à cause de ton nez », a ajouté Perle.

Je n'osais pas leur avouer que mon retard était dû à ma gourmandise.

« Euh... Gepetto avait besoin de moi... pour... euh... terminer un meuble. »

Évidemment, mon nez s'est mis à s'allonger.

« Oh ! Ton nez s'allonge ! » s'est exclamé Perle.

« C'est à cause de ma mentirite aigüe », ai-je menti à nouveau.

Mon nez s'est allongé davantage.

« Ne tenez pas compte de mon nez. Il est détraqué. »

« MENSONGE ! s'est écriée Boucle d'or en se redressant sur les coudes et en brandissant l'écran de son téléphone intelligent vers nous. Comme je suis la journaliste la plus réputée et la plus jolie de Livredecontes, tous mes associés, ou plutôt mes assistants, sont prêts à m'envoyer des primeurs. Après tout, je suis une véritable vedette du journalisme livredecontois et suis donc toujours au courant de tout. »

Boucle d'or s'est mise à envoyer des baisers à une foule imaginaire. Atchoum, Perle, Grincheux et moi avons échangé un regard perplexe.

« Où veux-tu en venir, Boucle d'or ? »

« Oh, a-t-elle dit en revenant sur Terre. Je veux en venir au fait que j'ai reçu des textos m'indiquant que Pinocchio se trouvait devant la maison de Hansel et Gretel, il y a quelques minutes à peine. »

« Ce n'est pas vrai, me suis-je défendu. Je... J'étais chez moi ! »

Mon nez s'est allongé de plus belle.

« Regardez par vous-mêmes, a répondu Boucle d'or. J'ai des sources qui l'ont affiché sur Twitter et Facebook, il y a quelques secondes. »

« Pinocchio, est-ce vrai ? » m'a interrogé Grincheux en me regardant droit dans les yeux.

J'ai soupiré et j'ai baissé la tête. J'avais honte d'avoir menti, et aussi de m'être fait prendre.

« Oui, ai-je répondu d'une petite voix. Je suis désolé. J'ai croisé Tic, et il m'a convaincu d'aller chercher des friandises chez Hansel et Gretel, et je n'ai pas osé vous le dire. Je comprendrais si vous êtes fâchés et n'avez plus envie d'aller à Livreillustré avec moi. »

« Pinocchio, nous sommes tes amis, et nous sommes là pour t'aider, m'a rassuré Perle d'un ton ferme. Mais il faut que tu nous promettes de ne plus jamais nous mentir. Tu as le droit de commettre des erreurs, mais il faut nous l'avouer. D'accord ? »

« Oui, d'accord. Je vous le promets. »

« Et de notre côté, nous te promettons de ne pas te laisser tomber », a ajouté Grincheux en posant sa main sur la mienne.

« Un pour tous... » a commencé Perle en posant sa main sur les nôtres.

« Et tous pour... ATCHOUM ! » a éternué ce dernier en joignant sa main aux nôtres.

« Boucle d'or, tu veux bien venir mettre ta main sur celle d'Atchoum ? Nous sommes en train de faire un pacte d'amitié pour nous assurer que le voyage que nous nous apprêtons à faire soit des plus heureux ! » a insisté Perle.

« ÇA ALORS ! s'est étonnée Boucle d'or, les yeux toujours rivés sur son téléphone. On vient de me twitter que Blanche-Neige avait un bouton sur la joue droite aujourd'hui. Il faut absolument que j'en parle au *Téléjournal* de ce soir ! »

« BOUCLE D'OR ! » nous sommes-nous écriés en chœur.

« Ça va, j'ai compris, a-t-elle répondu. Mais je ne participerai à votre pacte débile qu'à condition que le pantin m'accorde une entrevue exclusive au retour, et ce, quelle que soit l'issue du voyage. »

« Que veux-tu dire ? » me suis-je méfié.

« Je veux dire que même si on réalise que ta maladie est bidon et que ton arbre parasol ne donne aucun résultat, tu dois quand même m'accorder une entrevue exclusive, qui sera diffusée au *Téléjournal*. »

« C'est d'accord », ai-je accepté un peu à contrecœur. Même si ça me déroutait que Boucle d'or n'ait aucune confiance en moi, je savais que j'étais mal placé pour refuser son offre.

« Alors d'accord », a-t-elle convenu en posant sa main sur celle d'Atchoum, qui a aussitôt éternué.

« Hé oh ! Je ne veux pas de tes germes ! » s'est-elle renfrognée d'un air dégoûté.

« Désolé. Ce sont mes allergies », a expliqué ce dernier.

« Bon, allons-y tous en chœur cette fois-ci ! a repris Perle. Un pour tous... »

« Et tous pour un ! » avons-nous proclamé d'un commun accord.

Nous avons convenu de nous rejoindre devant chez moi demain matin à 7 h. J'éprouve un mélange de joie, d'appréhension et d'angoisse. J'espère vraiment de tout cœur que ce voyage donnera les résultats espérés !

29 juin

Je peux dire que le début de notre voyage n'est pas de tout repos.

À ma grande surprise, Boucle d'or a été la première à arriver chez moi, ce matin. Elle avait enveloppé ses cheveux dorés dans un immense foulard de soie et portait des lunettes de soleil surdimensionnées qui lui donnaient des airs de vedette de cinéma. Elle avait aussi enfilé des pantalons de lin beige, une chemise à manches longues et des tennis roses, et elle transportait trois immenses valises de marque.

« Tu n'es pas habillée un peu chaudement ? » lui ai-je demandé alors qu'elle s'approchait de moi.

« Je me fiche d'avoir chaud. Ce que je veux avant tout, c'est me protéger contre les microbes de ton ami le nain qui ne cesse d'éternuer. »

« Boucle d'or, combien de fois dois-je te répéter qu'Atchoum n'est pas malade. Il souffre d'allergies ! »

« Justement ! Je ne veux pas attraper son allergitite », s'est-elle contentée de répondre en bâillant.

J'ai soupiré. Je réalisais que cela ne servait à rien de m'obstiner avec elle.

« Et où crois-tu que nous mettrons tous tes sacs ? Nous sommes déjà cinq dans la voiture ! Nous n'aurons jamais assez d'espace pour tes valises ! »

« Vous devrez vous débrouiller, car il est hors de question que je laisse mes valises ici. Elles sont remplies de bikinis conçus pour tous les types de bronzage. »

« Mais Boucle d'or, tu réalises que nous n'aurons pas vraiment le temps de nous reposer à la plage, n'est-ce pas ? L'objectif est de trouver le pin parasol et de rentrer au plus vite ! »

« Tut-tut, le pantin ! Tu ne vas pas me dicter quoi faire, tout de même ! J'ai une entrevue prévue avec Paris Hilton à mon retour, et il est hors de question que je sois blême pour la rencontrer. Je ne reviendrai pas ici avant d'avoir le teint aussi hâlé que le sien ! »

J'ai soupiré de nouveau. Perle, Grincheux et Atchoum sont arrivés à bord de la décapotable quelques instants plus tard.

« Ça alors ! Tu m'impressionnes, Boucle d'or ! s'est réjouie Perle. Tu transportes une valise de moins que lors de notre dernière aventure ! On peut dire que tu t'améliores ! »

« Merci de le souligner, lui a répondu Boucle d'or en souriant fièrement. Tu vois, le pantin ? Tout le monde n'est pas du même avis que toi ! »

Même si chacun d'eux n'avait apporté qu'un tout petit sac de voyage, nos efforts de logistique n'ont pas suffi à faire entrer toutes les valises dans le coffre de la voiture.

« Désolée, Boucle d'or, mais tu devras te passer de quelques-uns de tes bikinis », ai-je alors annoncé.

« Hors de question ! Nous nous arrangerons autrement », a-t-elle décrété en s'asseyant sur le siège du passager.

« Euh !... Boucle d'or, comme tu es très menue, je propose que tu t'installes plutôt à l'arrière avec Pinocchio et Perle », a proposé Atchoum d'un air timide.

« Pas question, le microbe ! Une vedette telle que moi mérite le siège avant ! »

Nous avons finalement réussi à positionner l'une de ses valises sous le siège du passager, et une autre entre Grincheux et moi, qui était placé à l'étroit au centre.

« Je commence à regretter de l'avoir incluse dans ce voyage », a grommelé Perle, plaquée contre la portière.

« Bon, allez ! C'est un départ », ai-je annoncé avant de saluer Gepetto et Bleutée.

« Soyez très prudents », nous a recommandé Gepetto en essuyant une larme.

« Je promets de ne pas te décevoir », ai-je répondu en pleurant à mon tour.

« Tu ne pourras jamais me décevoir, mon garçon. À mes yeux, tu seras toujours le plus brave et le plus loyal de tous les pantins. »

Bleutée et Perle ont aussitôt éclaté en sanglots, tandis que Grincheux et Atchoum essuyaient discrètement quelques larmes.

« Hé, oh ! Ça va, le festival des pleurs ! s'est écriée Boucle d'or. Il faut vite partir. La plage et le soleil m'attendent, et je ne bronzerai certainement pas vêtue de la sorte. »

J'ai fait mes adieux à Gepetto et Bleutée, et nous nous sommes finalement mis en route.

« J'ai envie d'aller aux toilettes ! » a indiqué Boucle d'or moins d'une minute plus tard.

« Mais Boucle d'or, nous ne sommes même pas encore sortis du village ! Peux-tu te retenir quelques minutes ? »

« Non. Je veux aller aux toilettes MAINTENANT ! »

Nous avons donc dû faire un arrêt à la station-service de Livredecontes. Atchoum en a profité pour faire le plein, puis nous avons repris la route.

« J'ai faim ! » s'est exclamé Boucle d'or environ sept minutes plus tard, au moment où nous entrions sur l'autoroute.

« Tiens, ai-je répondu en lui tendant un sandwich aux tomates. C'est Bleutée qui l'a préparé.

« Ces tomates sont trop mûres », a refusé Boucle d'or en repoussant le sandwich.

« Alors, prends le mien », lui a offert Perle en lui brandissant un sac.

« Non ! Ces tomates sont trop dures, s'est exclamée Boucle d'or en repoussant aussi le goûter de Perle, mais celles-ci sont parfaites ! » a-t-elle conclu en arrachant le sandwich des mains d'Atchoum alors qu'il s'apprêtait à y mordre à pleines dents.

« Hé ! » s'est renfrogné ce dernier en lançant un regard noir à Boucle d'or.

« Tut ! a fait cette dernière en engloutissant le sandwich. Contente-toi plutôt de conduire ! C'est dangereux de manger au volant. »

Nous avons roulé pendant près d'une demi-heure dans le silence, puis Boucle d'or a décidé d'allumer la radio.

« Oh ! Ça alors ! C'est ma chanson préférée ! » s'est-elle réjouie avant de « chanter » une ballade amoureuse à tue-tête. La vérité, c'est que Boucle d'or faussait tellement qu'elle en faisait trembloter le bois de mes jambes et craqueler l'asphalte de la route. Perle, Grincheux et moi avons discrètement bouché nos oreilles jusqu'à la fin de la chanson.

« J'adore chanter, a ensuite commenté Boucle d'or. D'ailleurs, je viens d'avoir une super idée ! Comme j'ai envie de vous gâter, je vous chanterai tous les plus grands classiques de Livredecontes ! Ça mettra un peu d'ambiance dans la voiture ! »

« Oh... Je préfèrerais que tu ne chantes pas », est intervenue Perle.

« Pourquoi donc ? » s'est étonnée Boucle d'or en la dévisageant.

« C'est que... C'est que j'ai mal à la tête ce matin, ce qui me cause, ce qui me cause, bien du chagrin », lui a chantonné Perle.

« Mais je crois que ma musique t'aidera à soigner ton mal de tête. »

« Non ! s'est opposée fermement Perle. Quand j'ai des migraines, je dois rester dans le silence le plus complet. Tu chanteras plus tard, d'accord ? »

Boucle d'or a grommelé une réponse, puis elle s'est étendue confortablement sur son siège. Elle s'est mise à ronfler quelques instants plus tard.

« Je ne sais pas ce qui est pire entre son chant ou ses ronflements », m'a soufflé Grincheux.

Nous avons roulé en silence pendant quelques heures, puis quand le temps s'est couvert, Atchoum a relevé le toit de sa décapotable.

« J'ai faim ! » a de nouveau annoncé Boucle d'or.

« Moi aussi, ai-je répondu. Ça vous dit qu'on s'arrête quelque part ? »

Mes amis ont tous acquiescé.

« J'ai envie de sushis, a lancé Boucle d'or. Ou alors de cuisine moléculaire. »

« Je ne veux pas te décevoir, Boucle d'or, mais je ne crois pas qu'on trouve ce type de restaurant en bordure de l'autoroute », a répliqué Atchoum.

« Regardez ! Il y a un restaurant là-bas ! » me suis-je écrié en voyant un panneau au loin.

« *Casse-croûte chez Ti-Gus*, a lu Perle. Ça me semble parfait ! »

Atchoum a garé la voiture, puis nous sommes entrés dans le restaurant.

« Bienvenue chez *Ti-Gus*, nous a accueillis une dame à l'entrée. Vous pouvez vous installer sur la banquette près de la fenêtre. »

Perle, Atchoum, Grincheux et moi l'avons suivie, tandis que Boucle d'or nous regardait d'un air troublé.

« C'est une blague ? » a-t-elle demandé alors que nous nous installions autour de la table.

« Euh, non. C'est un restaurant », lui a répondu Perle du tac au tac.

« Il est hors de question que je mange ici. »

« Allons, Boucle d'or ! Ce n'est pas si mal ! Jette au moins un coup d'œil au menu ! » ai-je proposé.

« De toute façon, tu n'as pas le choix, a poursuivi Perle. Nous sommes au milieu de nulle part, et c'est le seul restaurant à des kilomètres à la ronde. »

Boucle d'or a fait la moue et elle s'est installée à côté de moi pour observer le menu.

« J'aimerais bien un sandwich au jambon », a dit Grincheux à la serveuse venue prendre notre commande quelques minutes plus tard.

« Même chose pour moi », ai-je dit en souriant.

« Je voudrais une salade, s'il vous plaît », a commandé Perle.

« Et pour moi, une assiette de spaghettis carbonara », a ajouté Atchoum.

« Et vous ? » a demandé la serveuse à Boucle d'or.

« Hum !... a fait cette dernière en réfléchissant. Est-ce que votre poulet est biologique ? »

« Euh... », a hésité la serveuse.

« Laissez tomber ! Le simple fait que vous hésitiez me fait peur ! Avez-vous du riz brun ? »

« Non. »

« Alors, pouvez-vous remplacer les frites par des patates douces à la vapeur ? »

« Non. »

Boucle d'or a soupiré.

« Avez-vous du filet de sole, alors ? »

« Désolée, mademoiselle, mais tout ce que nous avons est inscrit sur le menu. »

« Eh bien, dites donc... Ce n'est pas le Pérou, a murmuré Boucle d'or en observant le menu de plus près. Bon, j'ai choisi. Je vais prendre le burger végétarien.»

« Comme vous pouvez le constater, le burger végétarien n'apparaît PAS sur le menu, mademoiselle », a répondu la serveuse d'un air exaspéré.

Boucle d'or a poussé un long soupir, puis elle s'est mise à tapoter la table du bout des doigts. La serveuse commençait sérieusement à s'impatienter, tout comme nos estomacs.

« Bon... Pourrais-je avoir une vinaigrette bio dans la salade du chef ? »

« Je ne crois pas que ce soit possible, non. »

« Ou alors un filet d'huile d'olive extra-vierge pressée à... »

« Ça suffit ! s'est alors impatientée Perle. Désolée, cousine, mais tu exagères ! Nous avons faim et nous voulons manger ! Tu prendras donc un sandwich au jambon avec une portion de frites ! »

La serveuse a noté la commande de Boucle d'or dans son calepin, puis elle est retournée en cuisine.

« Pourquoi as-tu commandé un plat pareil ? » s'est étonnée Boucle d'or en fronçant les sourcils.

« Parce que ça devenait interminable et que quelqu'un devait trancher. »

« Mais je n'aime pas la friture ! » s'est plainte Boucle d'or.

« Je suis sûre que tu survivras », a répondu sa cousine.

Dès que nos plats sont arrivés, tout le monde s'est mis à manger avec appétit. À ma grande surprise, c'est Boucle d'or qui a terminé son assiette la première.

« On dirait que tu n'as pas trop détesté », s'est amusée Perle toute souriante.

« J'avoue que je raffole de la friture, a déclaré Boucle d'or en terminant ses frites. La prochaine fois, j'essaierai le triple burger de poulet frit avec bacon accompagné d'une double portion de frites ! »

« Il faut tout de même surveiller ton cholestérol », lui a fait remarquer Atchoum en se nettoyant les mains.

« Quoi ? Il y a du choléra dans les frites ? »

« Euh... »

« Laisse tomber », ai-je murmuré à Atchoum en me levant pour payer.

Après nous être dégourdis les jambes pendant quelques minutes, nous avons repris la route. Grincheux a pris la relève au volant et a conduit jusqu'à la tombée de la nuit.

« Nous allons devoir trouver un endroit pour dormir », a dit Perle.

« Dommage que je n'ai pas apporté mon nécessaire de camping », a souligné Atchoum.

« Au contraire ! s'est exclamée Boucle d'or. J'ai besoin d'une douche et d'un lit confortable pour récupérer et conserver mon teint de pêche. »

« C'est indiqué qu'il y a un motel à la prochaine sortie, nous a annoncé Grincheux. Je propose que nous allions y jeter un coup d'œil. »

Grincheux a suivi les indications jusqu'au motel décrépit, défraîchi et lugubre qui affichait toutefois des chambres disponibles.

« Je ne sais pas dans quel monde vous vivez, nous a alors reproché Boucle d'or, mais il est hors de question que je mette les pieds dans ce trou à rats. »

« Je crois que même les rats n'ont pas envie de dormir ici », a renchéri Perle d'un air dégoûté.

Boucle d'or a consulté son téléphone intelligent à la recherche d'un meilleur hôtel à proximité, mais nous avons réalisé à notre grand désarroi qu'il n'y avait rien d'autre à moins de soixante kilomètres.

« Il est déjà trop tard pour reprendre la route, les ai-je avertis. Le mieux à faire est de rester ici pour la nuit. Je suis sûr que le décor est plus accueillant à l'intérieur. »

Mais je me trompais. L'homme à la réception nous a remis la clé d'une chambre avec deux lits et un futon. Dès que nous avons ouvert la porte, nous avons eu un mouvement de recul.

Il y avait des toiles d'araignées dans tous les coins de la chambre, et une épaisse couche de poussière recouvrait les meubles.

« Pouah ! Ça sent le renfermé ici ! » n'ai-je pu m'empêcher de dire.

« ATCHOUM ! » a éternué mon ami à peine entré.

« À tes souhaits », ai-je dit à Atchoum en souriant.

« Ce sera une longue nuit pour mes allergies », a répondu ce dernier avant d'éternuer de nouveau.

« Où est Boucle d'or ? » s'est inquiétée Perle en posant son sac de voyage sur l'un des lits.

« Je suis ici, a répondu cette dernière, qui inspectait la salle de bain en se bouchant le nez. Je ne peux pas croire que nous soyons forcés de dormir dans un tel taudis. »

« Dis-toi que ça en vaut la peine, cousine, lui a répondu Perle en époussetant les meubles. Au bout du compte, nous parviendrons à trouver un remède pour Pinocchio, et tu auras un super reportage à présenter à la télévision.

J'ai aidé Perle à nettoyer légèrement la pièce, puis chacun est allé prendre une douche à tour de rôle, faisant ainsi grincer la vieille tuyauterie. Perle et Boucle d'or se sont ensuite installées dans un lit, tandis que Grincheux et moi nous entassions dans un autre. Atchoum s'est, quant à lui, étendu sur le futon en éternuant sans arrêt.

« Tu peux arrêter de faire autant de bruit ? a lancé Boucle d'or, exaspérée. Je n'arrive pas à dormir à cause de toi. »

« Désolé ! s'est excusé Atchoum d'une petite voix. Je crois que mon système respiratoire est en panique totale ! »

« Ce n'est pas mon problème, face de microbe ! »

« Boucle d'or, ne sois pas si dure envers Atchoum », l'a grondée Perle.

Boucle d'or s'est contentée de soupirer, puis elle s'est endormie quelques instants plus tard, suivie de près par mes trois autres amis, qui ronflent maintenant bruyamment. Je commence moi aussi à avoir les paupières lourdes, mais je voulais m'assurer de relater tous les événements de la journée dans mon journal avant de m'endormir. J'espère que demain, tout ira comme sur des roulettes, et que mon nez ne fera pas des siennes.

30 juin

À notre réveil ce matin, nous sommes prêts à reprendre la route, et Boucle d'or a insisté pour conduire.

« J'ai obtenu mon permis il y a quelques mois. Je crois que je suis vraiment douée derrière le volant », nous a-t-elle expliqué pour nous convaincre.

« D'accord, mais préviens-nous si tu es fatiguée ou si tu as des doutes », ai-je répondu, un peu méfiant.

Grincheux s'est installé sur le siège du passager, tandis que Perle, Atchoum et moi nous sommes entassés à l'arrière entre les valises de Boucle d'or. Celle-ci a aussitôt démarré la voiture et a appuyé brutalement sur le frein quelques mètres plus loin, nous prenant tous par surprise.

« Que se passe-t-il ? » ai-je demandé en me redressant.

« Rien, je vérifiais les pédales. »

« D'accord, mais sois moins brusque avec le frein si tu ne veux pas nous rendre malades », l'a prévenue Perle.

Boucle d'or a toutefois continué à alterner entre le frein et l'accélérateur pendant quelques mètres. J'ai senti mon estomac se nouer.

« Boucle d'or, ça suffit ! Tout le monde est vert dans la voiture ! » s'est fâché Grincheux.

« Désolée ! » a répondu cette dernière.

Sa conduite s'est heureusement améliorée par la suite, et j'en ai profité pour fermer les yeux et faire un somme.

Ce sont les éclats de voix de mes amis qui m'ont extirpé du sommeil un peu plus tard. Nous étions arrêtés sur le bord de la route, et Grincheux était en train d'inspecter la voiture en gesticulant avec mécontentement.

« Que se passe-t-il ? » me suis-je inquiété en sortant de la voiture.

« Il se passe que nous sommes en panne », m'a répondu Perle en fronçant les sourcils.

« Quoi ? Mais comment est-ce possible ? »

« Nous nous sommes tous assoupis, et Boucle d'or n'a pas pensé à vérifier le niveau d'essence », a râlé Atchoum, les bras croisés.

« Hé ! Ce n'est pas ma faute ! s'est défendu cette dernière. On ne m'a jamais enseigné à quoi servent les petits cadrans sur le tableau de bord. J'ai bien vu que l'aiguille pointait vers le E, mais je croyais que cela voulait dire que la conductrice était exceptionnelle... »

« Non, Boucle d'or. Cela veut dire que le réservoir d'essence est vide, et que nous sommes maintenant coincés au milieu de nulle part ! »

« Oh, non ! Qu'allons-nous faire ? » ai-je commencé à paniquer.

« J'ai déjà contacté une compagnie de remorquage, m'a rassuré Perle. Ils devraient être ici dans moins d'une heure. »

« Entre-temps, je crois que le mieux à faire est de profiter de cette température splendide, a suggéré Boucle d'or en s'enduisant d'huile à bronzer. Je vais aller m'installer sur un rocher un peu plus loin. Faites-moi signe lorsque nous serons prêts à repartir. »

J'ai soupiré en m'asseyant sur le bord de la route. Nous étions dans une région désertique. Il n'y avait que des cactus et de petites collines de sable à l'horizon.

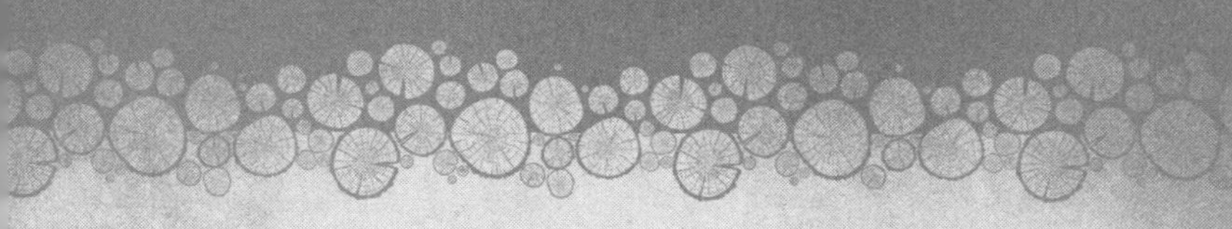

J'étais justement en train de contempler le paysage lorsque Perle s'est approchée de moi en me dévisageant.

« Pinocchio, je crois que ton nez recommence à faire des siennes ! » m'a-t-elle annoncé en écarquillant les yeux.

J'ai aussitôt senti mon nez qui s'agitait légèrement de haut en bas.

« Oh, non ! Lorsqu'il bouge de cette façon, c'est généralement pour m'indiquer qu'il s'apprête à... »

Mon nez s'est allongé de plusieurs centimètres avant même que je puisse terminer ma phrase.

« Que se passe-t-il ? Pourquoi s'emballe-t-il de cette façon ! Tu n'as même pas prononcé un seul mot ! »

« Ce sont les symptômes de ma mentirite qui recommencent à faire leur apparition. La Fée Bleue m'avait prévenu que cela allait se produire ! Il faut vite se rendre à la plage et trouver le pin parasol avant que je me retrouve coincé quelque part ! »

« Ne t'en fais pas, m'a réconforté Atchoum. Dès que nous pourrons repartir, nous ferons de notre mieux pour atteindre notre destination le plus rapidement possible. »

« Nous ne sommes plus qu'à mille quatre cents kilomètres de la contrée de Livreillustré ! Ce qui veut dire que, si tout va bien, nous pourrions atteindre la plage du Soleilcouchant dans moins de quarante-huit heures », a poursuivi Perle en consultant une carte routière.

« Alors, il ne me reste plus qu'à croiser les doigts et à espérer que le reste du voyage se déroule sans anicroche ! » ai-je répondu d'une petite voix.

30 juin (un peu plus tard)

Nous voilà enfin dans un hôtel moins rustique que celui d'hier. Même si la journée s'est révélée plus ardue que prévu, elle s'est tout de même terminée sur une bonne note.

La remorqueuse est arrivée trente minutes après que mon nez s'est mis à s'allonger. Nous sommes aussitôt allés chercher Boucle d'or, qui se faisait toujours bronzer sur un rocher.

« Viens vite ! l'a pressée Perle. La remorqueuse est là et nous sommes prêts à partir ! »

« Mais il ne me reste que trois minutes pour m'assurer que le bronzage sur le devant de mon corps soit uniforme et... »

« Boucle d'or. Viens ici MAINTENANT ! » a tranché Grincheux.

« Ça va, j'ai compris. Mais ne vous moquez pas de moi si mon dos est moins bronzé que le reste de mon corps ! »

Boucle d'or a enfilé son paréo, son foulard de soie et ses lunettes surdimensionnées, puis s'est installée sur le siège du passager de la décapotable.

« Le soleil m'a donné sommeil, nous a-t-elle annoncé en bâillant. Je vais faire un somme. Réveillez-moi lorsque nous serons arrivés à destination. »

Grincheux, Atchoum et moi sommes montés à bord de la remorqueuse, tandis que Perle s'installait aux côtés de Boucle d'or dans notre voiture qui se faisait maintenant tirer jusqu'à la station d'essence la plus proche.

Nous avons finalement pu faire le plein d'essence et reprendre la route près d'une demi-heure plus tard.

« Si ça ne te dérange pas, Boucle d'or, je préfère reprendre le volant jusqu'à ce soir », a annoncé Atchoum.

« D'accord, c'est bon ! a accepté Boucle d'or. De toute façon, la conduite use mes yeux. »

Nous avons roulé pendant plusieurs heures, puis quand le soleil s'est mis à disparaître à l'horizon, nous avons convenu de nous arrêter dans un hôtel pour la nuit. Nous avons traversé le village de la Princesse Endormie, et Atchoum a finalement opté pour l'hôtel *Le Repos du Héros*.

« Ça ne peut pas être pire qu'hier », ai-je murmuré.

« Ça, non ! a acquiescé Atchoum. Et Boucle d'or sera contente, puisqu'il s'agit d'un hôtel trois étoiles. »

« Je ne fréquente généralement que des cinq étoiles, a répondu cette dernière en se grattant. Mais, puisque j'ai l'impression d'avoir attrapé tes allergies et que la peau me démange, je suis prête à essayer celui-ci ! »

La dame de la réception nous a remis la clé de la suite royale, qui possédait cinq grands lits, et Boucle d'or s'est empressée de se réfugier sous la douche.

J'étais en train de lire la carte routière avec Perle et de planifier notre trajet du lendemain lorsque des cris ont retenti dans la salle de bains.

« Boucle d'or ? Que se passe-t-il ? » s'est alarmée Perle en frappant à la porte.

« As-tu besoin d'aide ? » ai-je demandé à mon tour.

« C'est horrible ! a crié Boucle d'or. Je ne veux plus jamais sortir d'ici ! Ma vie est finie ! Je vous en prie, laissez-moi seule ! »

« Allons, Boucle d'or. Nous sommes tous affamés et nous t'attendons pour descendre au restaurant de l'hôtel. Dis-nous au moins ce qui se passe. »

Nous avons entendu des pleurs et des soupirs, puis Boucle d'or a entrouvert la porte. Elle est alors sortie de la salle de bains vêtue d'une tunique orange et verte. C'est alors que j'ai compris. Ce n'était pas sa tunique qui était orange, c'était sa peau ! »

« OH ! Boucle d'or... Tu es... », a commencé Perle.

« Une carotte ! » a terminé Grincheux avant de s'esclaffer.

Je trouvais la situation tellement loufoque que je n'ai pas non plus été capable de retenir un rire.

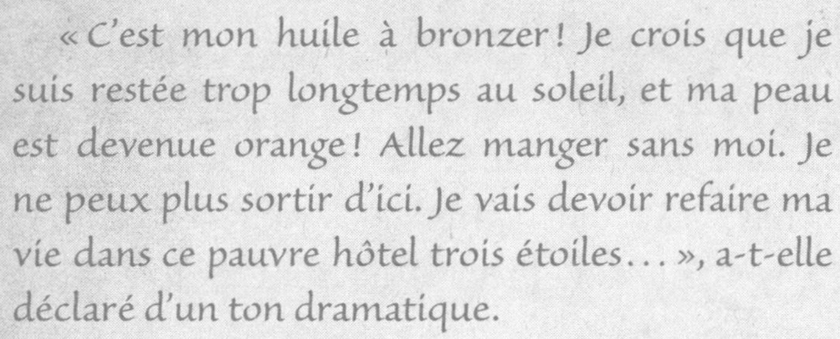

« ARRÊTEZ DE VOUS MOQUER DE MOI ! a hurlé Boucle d'or avant d'éclater en sanglots. C'est une catastrophe ! »

« Mais que s'est-il passé ? » lui a doucement demandé Perle.

« C'est mon huile à bronzer ! Je crois que je suis restée trop longtemps au soleil, et ma peau est devenue orange ! Allez manger sans moi. Je ne peux plus sortir d'ici. Je vais devoir refaire ma vie dans ce pauvre hôtel trois étoiles... », a-t-elle déclaré d'un ton dramatique.

« Allons, Boucle d'or. Tu dois manger ! » a insisté Atchoum.

« J'ai trop honte pour sortir d'ici. »

« Regarde-moi, Boucle d'or, ai-je commencé. Ne vois-tu pas que mon nez a poussé depuis ce matin ? »

« Euh, oui, mais je n'osais rien dire », a-t-elle répondu entre deux sanglots.

« Je t'annonce que ma mentirite aigüe a recommencé à faire des siennes. Mon nez est devenu si long que je dois m'incliner pour ne pas entrer en collision avec les objets ! Mais j'ai faim, et je ne laisserai pas ma condition m'empêcher de partager un bon repas avec

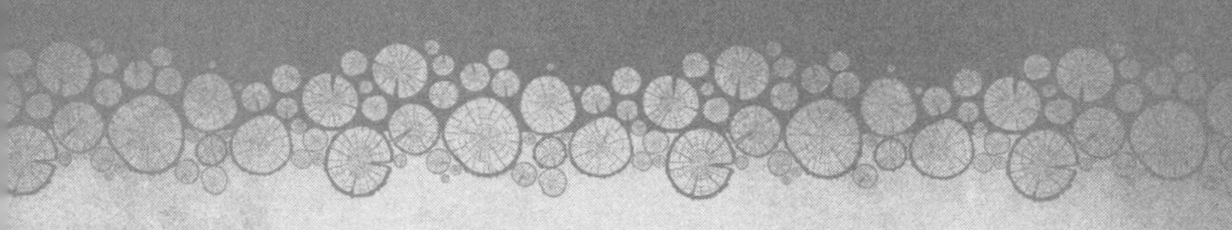

mes amis. J'aimerais beaucoup que tu fasses de même et que tu te joignes à nous. »

« Tu pourras commander toute la friture que tu désires », a poursuivi Perle en essayant de la convaincre.

« Sans choléra ? » a demandé Boucle d'or en reniflant.

« Sans choléra », a acquiescé Atchoum.

J'ai alors tendu ma main vers Boucle d'or, qui a fini par la saisir et par se laisser convaincre de venir manger avec nous. Heureusement pour elle, elle n'a pas eu à s'exposer aux regards de la clientèle puisque le restaurant *La licorne mexicaine* était complètement désert.

Comme Boucle d'or s'était camouflée sous un grand chapeau mexicain et un chemisier à motifs de cactus, nous avons décidé de commander des fajitas au poulet pour transformer le repas en une véritable soirée thématique. Perle et Grincheux se sont même déhanchés sur des airs de musique latine ! C'était agréable de partager un moment dans une atmosphère aussi festive.

Nous avons ensuite décidé de regarder une comédie à la télévision, et pour la première fois depuis le début du voyage, j'ai senti que tout le monde était réellement détendu. Atchoum ne pensait plus à ses allergies ; Grincheux et Perle partageaient un moment de bonheur entre amoureux ; Boucle d'or rigolait en se faisant les ongles et je me distrayais sans trop songer au pin parasol !

Je vais maintenant me coucher, puisque nous avons prévu de reprendre la route à l'aube !

JUILLET

1er juillet

Nous voici enfin à la frontière de la contrée de Livreillustré ! Je suis tellement soulagé de m'imaginer que demain à pareille heure, nous serons sur la plage du Soleilcouchant, et que j'aurai peut-être déjà trouvé les aiguilles de pin pouvant guérir ma maladie !

Comme mon nez mesure maintenant près d'un mètre, il m'est devenu très difficile de me déplacer, surtout depuis que de petits amis ont décidé d'y établir domicile.

Tout a commencé au réveil ce matin. Quand j'ai ouvert les yeux, je me suis assis dans mon lit encore un peu endormi, puis tout à coup, j'ai entendu un BOUM suivi d'un petit cri.

« Que se passe-t-il ? » a sursauté Grincheux.

Il a ensuite tiré les rideaux pour laisser pénétrer la lumière du jour dans la chambre.

Je me suis alors rendu compte que mon nez avait encore poussé de plusieurs centimètres au cours de la nuit, et qu'il avait fait trébucher Perle alors qu'elle se rendait à la salle de bains.

« Désolé, Perle ! me suis-je excusé d'une petite voix. Je ne voulais pas te faire tomber ! Tu ne t'es pas blessée, au moins ? »

« Non, ça va, m'a-t-elle rassuré en se redressant. Mais ton nez commence à prendre des proportions démesurées. Il faut vite reprendre la route pour trouver ce pin parasol. Réveille-toi, Boucle d'or ! »

Celle-ci s'est étirée longuement avant de retirer son masque pour les yeux et de s'étirer dans son lit.

« Avant de faire ma toilette, je veux que vous soyez honnêtes avec moi, nous a-t-elle demandé. Suis-je encore orange ? »

La vérité, c'est que sa peau était encore plus orangée que la veille, mais comme je n'avais pas la tête à endurer une crise, j'ai opté pour un petit mensonge.

« Non », ai-je répondu sans réfléchir.

« Pinocchio ! Ton nez ! » s'est écriée Perle.

Trop tard. Mon nez s'est allongé de quelques centimètres supplémentaires.

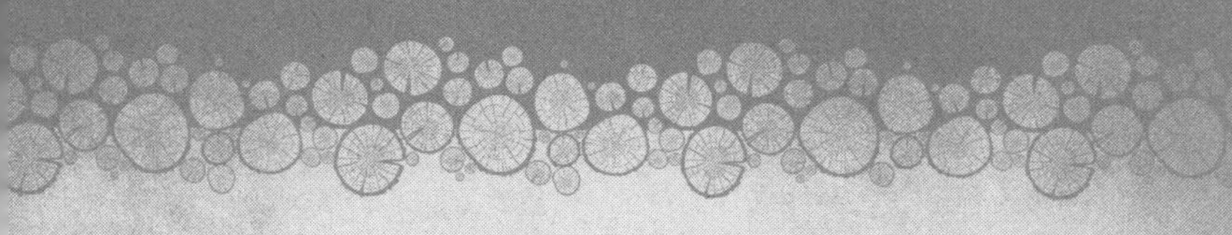

« Si ton nez s'allonge, c'est que tu mens ! » s'est écriée Boucle d'or en éclatant en sanglots et en se précipitant vers la salle de bains.

Finalement je suis sorti de la chambre, en me laissant guider par mes amis. Après avoir consolé Boucle d'or qui hurlait depuis près de vingt minutes, nous avons finalement plié bagages et repris la route. Je me suis assis à l'arrière contre la portière, ce qui permettait à mon nez de rester à l'extérieur. Grincheux et Atchoum se sont entassés à mes côtés, tandis que Perle s'installait derrière le volant et que Boucle d'or pleurnichait à ses côtés.

Au bout d'un moment, j'ai senti mon corps s'alourdir et j'ai commencé à somnoler. Ce sont les rires hystériques de Perle et Boucle d'or qui m'ont sorti du sommeil.

En ouvrant les yeux, j'ai aperçu mes amis qui étaient tous sortis de la voiture et qui me dévisageaient d'un drôle d'air. Puis j'ai senti un mouvement sur mon nez. C'est alors que j'ai réalisé qu'un couple de colibris avait décidé de construire son nid sur mon nez pendant ma sieste.

« Oh, non ! Aidez-moi ! Il faut les faire partir de là ! » me suis-je exclamé en me redressant légèrement.

« Attends, m'a répondu Boucle d'or en sortant son appareil-photo. Je dois absolument immortaliser ce moment ! »

Boucle d'or a pris sa photo, puis mes amis ont délicatement délogé le nid de colibris pour l'installer dans un arbre à proximité.

« Bon débarras, ai-je dit en sortant de la voiture. Où sommes-nous ? »

« À moins de deux heures de la frontière de Livreillustré. Perle avait envie de se dégourdir les jambes », m'a expliqué Grincheux.

Nous en avons profité pour faire le plein d'essence et acheter de la nourriture, puis nous avons fait un pique-nique sur le bord de la route. J'ai observé le paysage, et j'ai réalisé que nous étions enfin sorti de la zone désertique. La bonne nouvelle, c'est que je sentais au changement d'odeur de l'air que nous nous approchions de la plage, mais la mauvaise, c'est que l'humidité qui commençait à se faire sentir faisait légèrement craquer mes membres de bois lorsque je me déplaçais.

Alors que nous nous apprêtions à rembarquer dans la voiture pour poursuivre notre chemin, Boucle d'or nous a suppliés de lui laisser une autre chance derrière le volant.

« Laissez-moi conduire, s'il vous plaît ! Cela me permettra de penser à autre chose qu'à mon teint orange ou aux germes d'Atchoum qui n'arrête pas de renifler depuis que nous avons quitté l'hôtel. »

« Si les autres sont d'accord, je n'y vois pas d'inconvénients », a consenti Perle.

« Moi non plus, ai-je ajouté. Tout ce que je demande, c'est d'arriver le plus vite possible à la plage pour que mon nez reprenne sa taille normale. »

« Je te promets de conduire prudemment, mais rapidement », a conclu Boucle d'or en s'asseyant derrière le volant.

J'espère que lorsque j'écrirai ce soir, je serai déjà dans la contrée de Livreillustré !

1er juillet (un peu plus tard)

Note à moi-même : ne plus jamais laisser conduire Boucle d'or sans surveillance. Après avoir été responsable d'une panne d'essence hier, voilà qu'aujourd'hui, notre amie a décidé de suivre les indications d'un spa alors que nous nous étions tous assoupis, plutôt que de poursuivre sur la route en direction de la plage.

Résultat : lorsque nous nous sommes réveillés, nous nous trouvions dans un havre de paix, entourés de sources naturelles d'eau chaude et d'odeurs de cèdre et d'eucalyptus.

« Hein ? Où sommes-nous ? » s'est émerveillée Perle en s'étirant.

« Euh !... J'ai fait un petit détour. Je me suis dit que tout le monde pourrait bénéficier d'un moment de détente, alors j'ai pris la sortie du *Spa Relaxe Héros*.

« QUOI ? me suis-je emporté. Boucle d'or, je t'avais pourtant bien indiqué que je voulais arriver à la plage le plus rapidement possible. Il n'a jamais été question d'une pause détente.

« Allons, Pinocchio, ne réagis pas comme ça, m'a murmuré Boucle d'or en battant des cils. J'ai consulté la carte. Nous ne sommes qu'à vingt minutes de l'autoroute nous menant à la plage ! Qui plus est, tu seras heureux d'apprendre que nous avons franchi la frontière de la contrée de Livreillustré il y a près d'une demi-heure ! Tu t'approches du but ! »

« Je ne m'approche pas du but, ai-je grommelé en faisant craquer mes articulations. Je m'approche des sources thermales qui me créent des rhumatismes, et je veux repartir immédiatement. »

« Tu sais, Pinocchio, il se fait déjà tard, et Boucle d'or a raison. Je crois qu'on pourrait tous bénéficier d'un moment de détente, a analysé Atchoum en humant l'eucalyptus. De plus, ces arômes naturels ont un pouvoir miraculeux sur mes allergies. »

« Quant à moi, je pourrai me faire appliquer un masque de vase pour me défaire de mon teint hideux de carotte, a ajouté Boucle d'or. Je t'en prie, Pinocchio, laisse-nous dormir ici une petite nuit ! »

« D'accord ! ai-je soupiré, à condition que l'on plie bagages demain à la première heure ! »

« Hourra ! » s'est excitée Boucle d'or avant de disparaître au loin.

« Pinocchio, on dirait que tes amis t'ont suivi jusqu'ici », m'a indiqué Perle en pointant deux petits colibris qui gazouillaient autour de ma tête.

« Mais que font-ils ici ? Je n'ai même plus leur nid ! » me suis-je agacé en les repoussant gentiment.

« Ils ont sans doute aimé vivre à tes côtés », m'a répondu Grincheux en sortant les valises de la voiture.

Grincheux et Perle ont réservé une chambre, tandis que je faisais le tour des installations. Les piscines avaient été installées en bordure d'une jolie forêt où chantonnaient des oiseaux.

« Allez rejoindre vos amis », ai-je lancé aux deux colibris qui venaient à nouveau de se poser sur mon nez et qui ne semblaient pas du tout intéressés à déménager.

Tout à coup, j'ai senti que mon nez recommençait à s'agiter.

« Oh, non ! me suis-je énervé. Je crois que mon nez va encore s'allonger ! Au secours, les amis ! »

Trop tard. Mon nez a poussé de plusieurs centimètres avant de se diviser en trois branches tortueuses, au grand plaisir des oiseaux qui virevoltaient autour de moi.

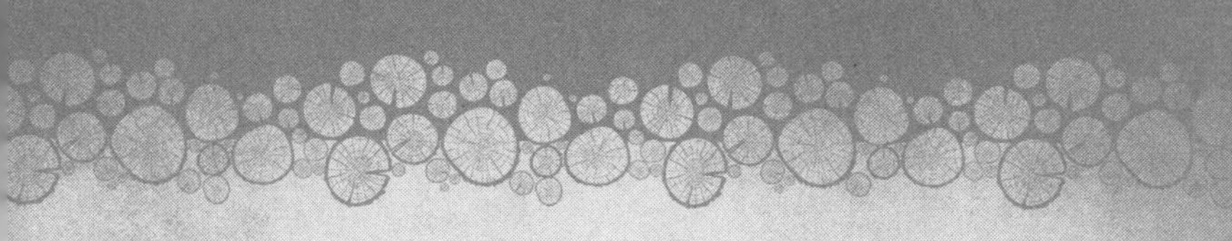

« Mais c'est terrible ! s'est effrayée Perle en se précipitant vers moi. Ton nez ressemble maintenant à un arbuste ! »

« Ouais ! mais les colibris n'ont pas l'air de s'en plaindre ! » a fait remarquer Grincheux tandis que les deux oiseaux sautillaient de branche en branche.

« Que se passe-t-il ? a demandé Boucle d'or en apparaissant devant nous, le visage couvert d'un épais masque de glaise. Oh, ça alors ! C'est encore plus rigolo que tout à l'heure. Laisse-moi prendre une photo pour compléter mon article ! »

J'ai eu beau rouspéter, Boucle d'or s'est tout de même empressée de fixer l'un des moments les plus embarrassants de mon existence. Juste au moment où je croyais que les choses ne pouvaient pas s'aggraver, un tout petit écureuil s'est approché de moi et s'est installé sur une des branches de mon nez.

« Hé, oh ! Ce n'est pas un zoo, ici », me suis-je rebellé, alors que mes amis se retenaient de rire.

« Désolé, l'ami, mais je suis épuisé, et ton nez semble trop confortable pour déménager ! Je vais passer la nuit ici et je partirai demain matin à la première heure », m'a marmonné le petit rongeur en bâillant.

J'ai soupiré, puis je me suis laissé guider jusqu'à mon lit par mes amis. Les colibris et l'écureuil dorment maintenant à poings fermés, et je m'apprête à faire la même chose. J'espère seulement que nous pourrons atteindre la plage avant que d'autres animaux ne décident de s'installer sur mon nez.

2 juillet

La journée a été si mouvementée que je ne sais même pas par où commencer ! En me réveillant ce matin, j'ai senti un engourdissement dans mon corps. Je me suis levé en craquant de partout, et j'ai remarqué que la chambre était déserte.

Je suis sorti en trombe. Perle m'a accueilli à l'extérieur en me tendant un croissant et un chocolat chaud.

« Bonjour, m'a-t-elle dit. Boucle d'or doit terminer son massage d'ici quelques minutes, puis nous pourrons reprendre la route. Grincheux et Atchoum ont déjà rangé les valises dans la voiture. Quant à moi, je suis allée te chercher un petit-déjeuner à la réception. »

« Oh, c'est gentil », lui ai-je dit à m'asseyant à une table de pique-nique.

« Il semble aussi que tes amis aient décidé de poursuivre leur route de leur côté », m'a-t-elle annoncé en désignant mon nez, que l'écureuil et les colibris avaient enfin déserté.

« J'espère que c'est de bon augure, ai-je répondu en engloutissant mon croissant. J'ai besoin d'énergie positive aujourd'hui ! »

« Ne t'en fais pas, m'a-t-elle rassuré. Si tout va bien, nous serons à la plage dans moins de trois heures. Nous pourrons déjà nous lancer à la recherche d'un pin parasol ! »

Atchoum, Grincheux et Boucle d'or, dont le teint s'était estompé grâce aux effets de la glaise, nous ont rejoints quelques minutes plus tard, et c'est Grincheux qui s'est offert pour conduire jusqu'à la plage.

Plus nous avancions, plus les arbustes cédaient leur place aux palmiers en bordure de la route.

Mon cœur s'est mis à battre un peu plus fort dès que j'ai aperçu la mer à l'horizon.

« Nous avons réussi ! s'est exclamée Perle en levant les mains au ciel. Nous sommes finalement arrivés à la plage du Soleilcouchant ! »

Grincheux s'est stationné, et mes amis et moi avons sorti les bagages de la voiture.

« Comme il n'y a aucun hôtel dans les environs, le plus simple sera de dormir à la belle étoile sur la plage ce soir », a annoncé Atchoum.

« Mais j'ai peur de me faire attaquer par les crabes », s'est plainte Boucle d'or.

« Mais non, l'a rassurée Perle. Tu verras que c'est très confortable de dormir sur le sable ! »

Je me suis avancé doucement sur la plage de sable blanc pour mieux contempler la vue qui s'offrait à nous.

Crac. Crac. Crac.

« C'est quoi ce bruit ? » a demandé Grincheux.

« Ce sont mes articulations, ai-je gémi. Vous feriez mieux de vous habituer, car c'est toujours ce qui arrive lorsque je me trouve près d'un cours d'eau. »

Crac. Crac. Crac.

« Décidément, nos vacances ne seront pas de tout repos », a soupiré Boucle d'or avant de déployer une immense serviette de plage.

« Ce ne sont pas des vacances, Boucle d'or ! D'ailleurs, que fais-tu ? » l'a interpellée Grincheux.

« Je m'étends sur le sable pour améliorer mon teint. Ça se voit, non ? »

« Pas question ! a protesté fermement Perle. Regarde ce pauvre Pinocchio. Il a besoin de notre aide ! Nous allons immédiatement commencer à chercher un pin parasol, et nous avons besoin de toi. Le mieux est de nous séparer en deux équipes. Grincheux, Boucle d'or et moi iront voir vers l'ouest, tandis qu'Atchoum et Pinocchio iront jeter un coup d'œil vers l'est !

« D'accord », ai-je acquiescé en me mettant en marche.

Crac. Crac. Crac.

J'ai jeté un coup d'œil vers l'océan, et j'ai senti mes membres trembler.

Crac. Toc. Crac. Toc.

« Ça va ? » m'a demandé Atchoum.

« Plus ou moins, lui ai-je répondu. L'océan me rappelle cette histoire de baleine, alors j'aime mieux ne pas trop m'en approcher de peur de devoir affronter un autre mammifère marin terrifiant ! »

Atchoum et moi avons parcouru la plage pendant près de quatre heures sans voir rien d'autre que des palmiers.

« Si seulement mon nez était fait de cœur de palmier, ce serait beaucoup plus simple de me guérir », lui ai-je fait remarquer en rejoignant Perle et Grincheux, qui revenaient aussi bredouilles.

« Je crois qu'il y a beaucoup plus de végétation par là, nous a indiqué Perle en pointant l'horizon. Le mieux à faire est de s'y rendre en voiture par la route demain matin. D'ailleurs, il commence à se faire tard, alors nous ferions mieux de nous installer pour la nuit. »

« Où est Boucle d'or ? » me suis-je inquiété en réalisant soudain qu'elle n'était pas des nôtres.

« Elle a dit qu'elle voulait aller jeter un coup d'œil un peu plus loin. Elle devrait revenir sous peu », m'a éclairé Perle.

Nous avons attendu pendant près de vingt minutes, et juste au moment où nous nous apprêtions à nous lancer à sa recherche, Boucle

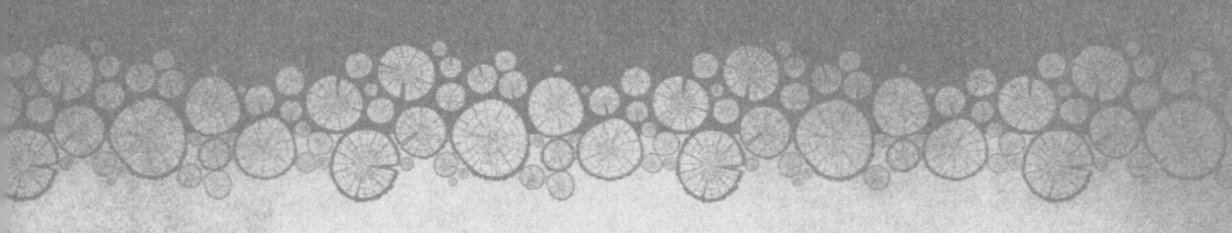

d'or est apparue à l'horizon en transportant un objet.

« Qu'est-ce qu'elle a dans les mains ? ai-je fait en plissant les yeux. Est-ce un pin parasol ? »

« Je n'arrive pas à voir ! » a répondu Atchoum en posant sa main en visière devant ses yeux.

« Allons à sa rencontre ! Je suis trop impatient pour attendre ! » me suis-je écrié, le cœur battant.

J'avais espoir que Boucle d'or ait enfin trouvé le remède à ma maladie.

Grincheux, Atchoum, Perle et moi avons couru sur le sable en direction de Boucle d'or, mais mon nez était devenu si lourd et encombrant que je n'arrivais pas à suivre le rythme de mes amis, qui se sont arrêtés au bout d'un moment.

Quand je les ai rejoints, Boucle d'or n'était plus qu'à quelques mètres de nous, et je commençais à mieux discerner la structure de l'objet qu'elle trimballait avec elle. Il s'agissait... d'un parasol.

« Boucle d'or ! Que fais-tu avec ça ? » l'a interrogée Perle, les mains sur les hanches.

« Euh !... Je viens en aide au pantin, voyons ! »

« Quoi ? Pourquoi aurais-je besoin d'un para... Oh ! »

Je venais de comprendre la confusion.

« Boucle d'or, tu as mal compris. Je n'ai pas besoin d'un parasol ; j'ai besoin de trouver des épines de pin parasol. C'est un arbre. »

Boucle d'or m'a regardé en clignant des yeux.

« Tu croyais vraiment que nous avions conduit jusqu'ici pour trouver un parasol, alors que nous aurions très bien pu en trouver un au Walmart de Livredecontes ? » lui a demandé Perle en retenant un rire.

« Euh... Je... Bien que sûr que non, a essayé de se reprendre Boucle d'or. Je trimballais ce parasol pour moi ! Ouais, c'est pour me protéger des rayons ultramauves. »

« On dit ultraviolets », l'a corrigée Atchoum d'une petite voix.

« Ça va, le microbe ! Je n'ai pas besoin de cours de français ! Range plutôt ce parasol dans la voiture », a répondu sèchement Boucle d'or.

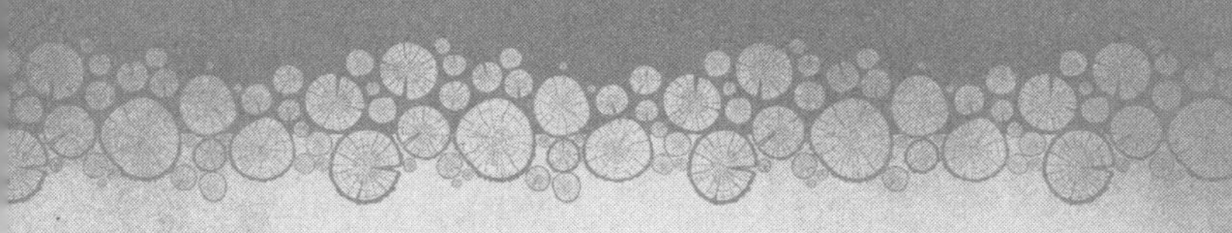

« Non ! Il pourra nous être utile cette nuit », ai-je dit en souriant.

Grincheux et moi avons donc planté le parasol dans le sable, puis nous avons utilisé nos vêtements pour créer un abri, tandis que Perle et Atchoum essayaient d'allumer un feu.

« Nous avons des biscottes, du pain et les saucisses que nous avons achetées plus tôt, mais nous avons besoin d'un feu pour les faire cuire et pour nous réchauffer, a indiqué Perle en assemblant des morceaux de bois. Boucle d'or, tu veux bien aller me chercher du bois un peu plus loin ? »

« D'accord », a grommelé Boucle d'or en enfilant un paréo multicolore et un immense chapeau de paille.

Après avoir installé notre campement rustique et plusieurs couvertures pour la nuit, je me suis assis près du feu qui brûlait maintenant à faible intensité.

« Mais où est encore passée Boucle d'or ? a soupiré Perle. Je dois remettre du bois avant que mon feu ne s'éteigne ! »

Boucle d'or est revenue près d'une demi-heure plus tard, accompagnée de Bambi.

« Voilà », s'est-elle contentée de dire avant de se laisser choir sur le sable pour admirer le coucher de soleil.

« Euh... Boucle d'or ? Pourquoi Bambi est-il ici ? » ai-je chuchoté.

« Écoute le pantin, j'ai fait du mieux que j'ai pu ! Perle m'a demandé de trouver des bois, et Bambi est le premier faon que j'ai aperçu sur la plage. J'aurais préféré trouver un cerf ou un renne, mais on devra se contenter de lui. »

Perle, Grincheux, Atchoum et moi avons échangé un regard, puis nous avons éclaté de rire.

« Que se passe-t-il ? s'est indignée Boucle d'or en fronçant les sourcils. Qu'est-ce qu'il y a de si drôle, encore ? »

« Ma pauvre Boucle d'or ! Tu as cru que je te demandais d'aller chercher des bois d'animaux, alors qu'en fait, je voulais du bois pour allumer le feu ! » l'a renseignée Perle en souriant.

Boucle d'or nous a dévisagés sans rien dire.

« Vous n'avez qu'à utiliser le pantin, a-t-elle suggéré au bout d'un moment. Avec son nez, nous tiendrons bon au moins jusqu'à demain matin ! »

Mes jambes se sont aussitôt mises à trembler.

Toc ! Toc ! Toc !

« Boucle d'or ! Arrête d'embêter ce pauvre Pinocchio et viens plutôt m'aider à trouver des branches et des brindilles pour alimenter le feu », l'a réprimandée Grincheux.

Mes amis sont finalement revenus avec un approvisionnement de bois nous permettant de faire cuire nos saucisses et de nous réchauffer. Bambi s'est installé à nos côtés et s'est endormi quelques minutes plus tard.

« Et si je chantais des chansons de camp ? a suggéré Boucle d'or après le repas. Il était un petit navire, il était un petit navire, qui n'avait ja-ja-jamais navigué, qui n'avait ja-ja-jamais navigué. Ohé, OHÉÉÉÉÉÉÉ ! » s'est-elle mise à hurler.

Bambi s'est réveillé d'un coup et a pris la fuite au loin, tandis que je tenais fermement mes jambes en bois.

« BOUCLE D'OR ! CESSE DE CHANTER ! TU ME FAIS CRAQUER DE PARTOUT ! » me suis-je alors affolé pour qu'elle cesse au plus vite.

« Pfff ! vous ne savez pas reconnaître le talent », a-t-elle rétorqué en s'installant sous le parasol.

« Boucle d'or, tu sais que nous devons nous entasser à plusieurs dans ce petit espace, n'est-ce pas ? lui a demandé Atchoum. Je crois que ce serait préférable que tu laisses tes valises à l'extérieur. »

« Pas question. J'ai besoin de tous mes sacs pour faire ma toilette, et j'ai aussi besoin de mon intimité pour trouver le sommeil. Bonne nuit », s'est-elle contentée de répondre en replaçant les vêtements pour fermer l'abri.

Perle a soupiré, et nous avons décidé de dormir près du feu. Mes amis se sont endormis en un rien de temps, mais chaque fois que j'essayais de fermer les yeux et de trouver le sommeil, le bruit des vagues venait hanter mes pensées. Et si un poisson sortait de l'océan et s'en prenait à moi ? Et si une baleine arrivait à se traîner jusqu'ici pour m'engloutir à nouveau ? Et si je ne trouvais pas de pin parasol et que je devais passer le reste de ma vie avec un arbuste en guise de nez ? J'en tremblais juste à y penser.

3 juillet

Je veux absolument relater les événements de la journée avant de rejoindre mes amis, car je veux être certain de conserver un souvenir net de ce qui sera maintenant considéré comme étant la plus belle journée de ma vie

Ce matin, je me suis fait réveiller par quelqu'un qui me chatouillait le visage. En ouvrant les yeux, j'ai remarqué qu'il s'agissait des deux colibris qui m'avaient suivi jusqu'ici. Le petit écureuil se reposait sur les branches de mon nez, et Bambi s'était assoupi près de moi, confortablement installé à l'ombre de l'arbuste qui me faisait office de nez.

« Ça y est. Je me suis transformé en zoo », ai-je marmonné en me relevant. J'ai alors aperçu Perle et Grincheux qui s'amusaient dans les vagues. Atchoum ronflait toujours à mes côtés, et Boucle d'or s'était déjà assoupie au soleil pour bronzer davantage.

J'ai englouti un morceau de pain avec un peu de confiture, puis mes amis se sont joints à moi pour ranger nos effets personnels et reprendre la route en direction d'une région un peu plus boisée.

Atchoum a conduit en longeant la mer pendant quelques kilomètres jusqu'à ce que nous croisions une petite forêt à l'orée de la plage.

« Arrêtons-nous ici ! me suis-je écrié. Je crois que nous avons beaucoup plus de chances de tomber sur un pin parasol dans ce boisé que sur la plage ! »

Mes amis et moi avons donc débarqué de la voiture, puis nous nous sommes avancés tranquillement sur le petit sentier.

« Oh ! Je crois avoir trouvé ! » s'est alors emballée Boucle d'or en pointant un arbre.

« Euh, il s'agit d'un palmier », l'a corrigée Perle, découragée.

« Oh, oui ! J'avais oublié que ce n'est pas ce que nous cherchions. Et ça ? » s'est-elle écriée à nouveau en pointant en direction d'une fleur.

« C'est une fleur, Boucle d'or. Nous cherchons un pin en forme de parasol. »

Nous avons continué de marcher pendant quelques minutes, puis nous avons décidé de nous séparer pour être plus efficaces. Boucle d'or et Perle sont parties à droite ; Atchoum et Grincheux, à gauche ; quant à moi, j'ai continué tout droit sur le sentier. Je devais toutefois avancer à tâtons pour éviter les obstacles qui menaçaient mon nez. Au bout d'un moment, j'ai entendu un craquement à quelques mètres de moi. Je me suis retourné rapidement et j'ai aperçu Bambi qui nous avait suivis jusque-là.

« Bambi, tu m'as fait peur », lui ai-je dit en poussant un soupir de soulagement.

J'ai essayé de poursuivre mon chemin, mais je me suis aperçu qu'en me retournant, mon nez s'était logé entre deux arbres et que je n'arrivais plus à bouger.

« Oh, non ! Je suis pris au piège ! Bambi, tu veux bien m'aider ? » lui ai-je demandé.

Le faon a acquiescé et s'est approché de moi, mais un craquement au loin l'a aussitôt fait sursauter, et il s'est enfui en quatrième vitesse avant même de me venir en aide.

« Les amis ? AU SECOURS ! JE SUIS COINCÉ ! » me suis-je époumoné dans l'espoir que mes copains m'entendent.

« À L'AIDE ! » ai-je hurlé quelques secondes plus tard.

Le bruissement des feuilles d'arbres et les ombres qui surgissaient autour de moi commençaient à me donner une chair de poule à faire trembler tous mes membres.

Clac, clac, clac, clac.

Heureusement, la voix de Perle a retenti au loin.

« Pinocchio ? Où es-tu ? »

« Je suis ici ! Je suis coincé ! À l'aide ! » ai-je crié de nouveau.

À ce moment, quelque chose est tombé du ciel pour s'écraser sur ma tête.

« Aïe ! » me suis-je écrié.

« Que se passe-t-il ? » m'ont demandé Boucle d'or et Perle en se précipitant vers moi, suivies de près par Grincheux et Atchoum.

« Je suis immobilisé entre ces deux arbres, et quelque chose vient de me tomber sur la tête. »

« Ce n'est qu'un vieux cône », a constaté Boucle d'or en le récupérant sur le sol.

« Un cône ? ai-je répété, soudain rempli d'espoir. Quel type de cône ? »

« Un cône normal, quoi ! a soupiré Boucle d'or d'un air blasé. Il semble être tombé de ce grand pin en forme de parasol. »

Atchoum, Grincheux, Perle et moi avons aussitôt poussé un petit cri, tandis que Boucle d'or nous dévisageait sans broncher.

« Pourquoi est-ce que vous vous énervez tant à propos d'un cône et d'un gros pin en forme de parasol ? » nous a-t-elle demandé.

« Parce que c'est exactement ce que l'on cherche depuis plus de cinq jours ! s'est excitée Perle en sautillant sur place. Grincheux, aide-moi à sortir Pinocchio de cette fâcheuse position. Atchoum et Boucle d'or, vous avez pour mission de ramasser une dizaine d'aiguilles que nous utiliserons pour faire une tisane ! »

Mes amis se sont exécutés en quatrième vitesse, puis nous nous sommes dirigés vers la voiture, le cœur battant.

« Il ne nous reste plus qu'à assembler les ingrédients et à faire un feu sur la plage pour faire chauffer cette tisane ! Tiens bon, Pinocchio ! Tout ira bien ! »

Nous avons conduit en silence jusqu'à ce que Grincheux repère un accès à la plage, puis Perle et Atchoum ont rapidement assemblé des brindilles pour faire un feu.

Nous avons mélangé tous les ingrédients dans une tasse, puis nous l'avons fait chauffer pendant quelques minutes.

« C'est l'heure de vérité ! a proclamé Grincheux en me tendant la tasse. Vas-y, Pinocchio. Bois une grande gorgée. »

Je me suis empressé d'avaler la tisane, et j'ai attendu son effet miraculeux pendant de longues secondes.

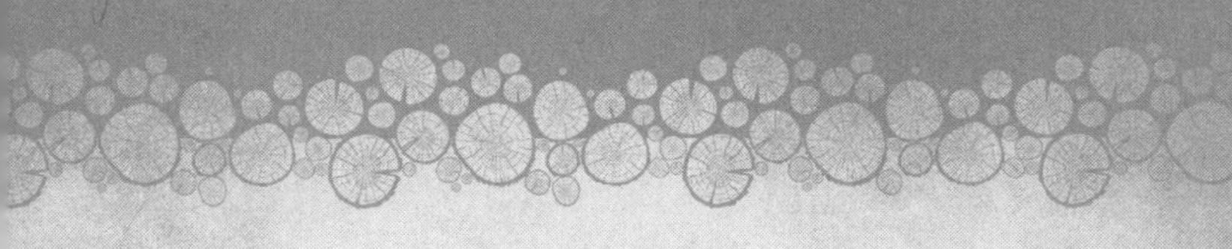

Je m'apprêtais à déclarer forfait lorsque mon nez s'est mis à s'agiter doucement.

« Ça y est ! Ça fonctionne ! » s'est réjouie Boucle d'or en prenant des photos de l'heureux événement.

Mon nez s'est mis à bouger de plus en plus vite, puis il a retrouvé sa taille normale d'un seul coup dans une pluie de poussière étoilée.

« Hourra ! ai-je alors jubilé, en touchant mon nez. Je suis guéri ! Nous avons réussi ! »

Mes amis se sont mis à applaudir et à sautiller sur place en chantant.

Comme nous ne reprenons la route que demain matin, nous avons décidé d'organiser un grand feu de joie sur la plage ce soir. J'ai invité tous les écureuils des environs, ainsi que mes nouveaux amis les colibris et Bambi. Je me sens si léger et euphorique que je serais même prêt à inviter les baleines à se joindre à la fête. J'ai enfin retrouvé mon nez, et je sais que je n'y serais jamais arrivé sans la précieuse aide de mes meilleurs amis.

27 août

C'est aujourd'hui qu'a lieu le mariage de Bleutée et de Gepetto, et tous nos amis de Livredecontes se sont réunis dans le parc Ilsvécurentheureux-eteurentbeaucoupdenfants pour célébrer le joyeux événement avec eux !

Perle, Grincheux, Dormeur et Atchoum se sont pointés un peu plus tôt pour me donner un coup de main pour la décoration, et Boucle d'or devrait arriver d'une minute à l'autre avec son équipe de caméramans pour filmer la cérémonie.

Je dois avouer que Boucle d'or m'a beaucoup impressionnée depuis notre aventure dans la contrée de Livreillustré ! Tout d'abord, elle a réussi à conduire une bonne partie du trajet du retour sans provoquer d'accident et sans nous causer d'ennuis ! De plus, les longues heures passées dans la décapotable lui ont permis d'avoir un teint hâlé parfait pour son entrevue avec Paris Hilton, reportage qui lui a mérité de nombreux éloges des critiques. Enfin, elle a tenu sa promesse et a diffusé une entrevue-choc avec moi dès notre retour à Livredecontes, ainsi qu'un documentaire intitulé *Un pantin en quête de vérité*, portant sur notre aventure.

Les images diffusées au *Téléjournal* ont permis aux habitants de se rendre compte que même si j'avais parfois tendance à mentir, je m'étais beaucoup amélioré depuis quelque temps, et que j'avais vraiment souffert d'une mentirite aigüe qui avait donné à mon nez des proportions spectaculaires.

Comme cette mésaventure m'a vraiment donné froid dans le dos, j'en ai tiré une leçon très précieuse : j'ai eu si peur de rester à jamais coincé avec un nez en forme d'arbuste et je regrette tellement d'avoir menti aux gens que j'aime dans le passé que je me suis fait la promesse solennelle que, dorénavant, je ne dirai plus jamais de mensonges ! Surtout quand il est question de fricassée de tofu.

FIN

Questions de lecture pour l'enfant

a. Trouve trois références au conte original dans cette histoire.
b. Comment Pinocchio parvient-il finalement à récupérer son nez ?
c. Nomme les quatre personnages qui l'accompagnent lors de son aventure à Livreillustré.
d. À quoi ressemble le pin que Pinocchio doit trouver ?
e. Comment s'appelle l'amoureux de Boucle d'or ?
f. Nomme le couple dont on célèbre le mariage à la fin de l'histoire.
g. Comment s'appelle la sœur de Bleutée ?

Activités entre amis

a. Inventez une comptine pour que Boucle d'or puisse chanter.
b. Dessinez un portrait de Pinocchio, de Grincheux et d'Atchoum !
c. Illustrez la scène que vous avez préférée dans ce livre. Par exemple, un ami peut illustrer la scène où Bambi dort près de Pinocchio, alors qu'un autre peut dessiner tous les personnages qui célèbrent lors du feu de joie !
d. Essayez de raconter l'histoire en interprétant chacun un rôle. Par exemple, un ami peut jouer le rôle de Pinocchio, tandis qu'un autre incarnera Bleutée et qu'un troisième sera Gepetto.
e. Réinventez l'histoire en trouvant chacun une façon de permettre à Pinocchio de guérir de sa maladie, et en imaginant une aventure qui lui permette de trouver son remède.

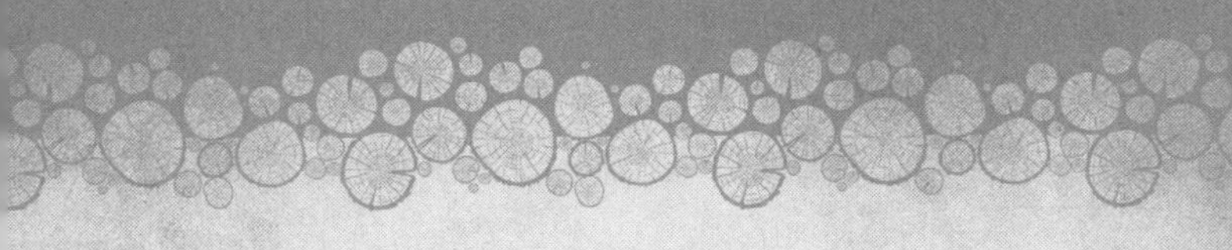

Activités pour les professeurs ou pour les parents

a. Discutez de l'histoire avec les jeunes. À la fin de l'aventure, Pinocchio est non seulement guéri, mais il décide aussi de ne plus mentir. Quelle est la morale, selon eux ?

b. Demandez aux jeunes s'il leur est déjà arrivé de mentir à quelqu'un. Comment se sont-ils sentis ? Ont-ils fini par dire la vérité ?

c. Dans l'histoire, on apprend aussi qu'il faut apprendre à respecter les gens qui sont différents et qu'il ne faut pas se moquer des autres. Est-ce que les jeunes ont déjà senti qu'on se moquait d'eux ? Comment ont-ils réagi ?

d. Demandez aux jeunes de trouver un adjectif pour décrire chacun des personnages. Par exemple, Pinocchio pourrait être « gentil » ou « loyal ».

e. Demandez à quel personnage ils s'identifient le plus et pour quelles raisons ?

f. Demandez quelle est leur scène préférée dans l'histoire. Qu'ont-ils aimé ? Est-ce qu'ils ont ri ? Est-ce qu'ils ont été émus ?

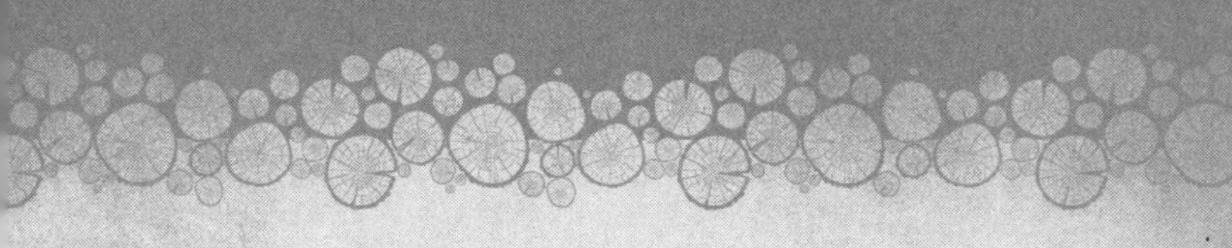

Profil d'un pantin pas si menteur

Personnage : Pinocchio

Âge : 10 ans

Statut actuel : Après avoir souffert d'une mentirite aiguë, il est finalement guéri.

Champs d'intérêt : Jouer avec ses amis, les friandises, les bandes dessinées et les séries télévisées.

Émission préférée : *Le pantin de mes rêves.*

Degré de méchanceté : Nul, puisqu'il a appris que ce n'était pas bien de mentir, et qu'il promet dorénavant de toujours dire la vérité.

Mets préféré : Les côtelettes de porc.

Ennemis jurés : Les baleines, les poissons, les fruits de mer, le rhumatisme et les mensonges.

Complices : Gepetto, Bleutée, Grincheux, Perle, Dormeur, Atchoum, Boucle d'or (du moins à la fin).

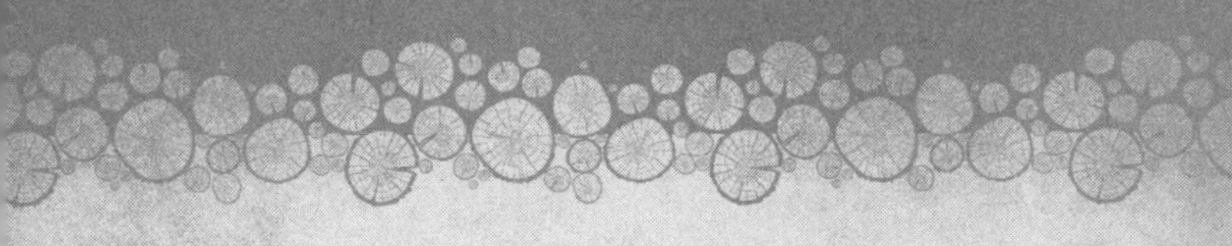

fajitas au poulet de *La licorne mexicaine*

(pour une fiesta entre amis)

En souvenir de leur aventure, Pinocchio a demandé au cuisinier de *La licorne mexicaine* de lui apprendre sa recette vedette.

Donne 2 portions

Ingrédients

- 300 g de poitrine de poulet désossée et sans la peau
- 1/2 c. à thé de poudre de chili
- 1/2 c. à thé de cumin
- 1/2 c. à thé de piment de Cayenne
- Sel et poivre
- 2 c. à soupe d'huile d'olive
- 1 oignon vert haché
- 1 poivron jaune tranché
- 1 avocat réduit en purée
- Le jus d'une lime
- Coriandre
- 2 à 4 grandes tortillas de farine de blé entier
- 50 g de cheddar râpé
- 125 ml de crème sure
- 1 tomate coupée en petits dés

N'OUBLIE PAS DE DEMANDER DE L'AIDE À UN ADULTE LORSQUE TU UTILISES LA CUISINIÈRE.

Préparation

1. Couper le poulet en lanières. Dans un bol, mélanger la poudre de chili, le cumin et le piment de Cayenne, le sel et le poivre, puis déposer le poulet dans le bol pour l'enrober du mélange d'épices.
2. Faire chauffer l'huile dans une grande poêle à feu moyen, puis ajouter les lanières de poulet et les cuire jusqu'à ce qu'elles ne soient plus rosées. Ajouter l'oignon et le poivron, et cuire le tout pendant environ 5 minutes jusqu'à ce que les légumes soient tendres et dorés.
3. Pendant ce temps, mélanger la purée d'avocat, le jus de lime et la coriandre dans un bol.
4. Faire chauffer légèrement les tortillas au micro-ondes ou au four jusqu'à ce qu'elles soient chaudes et tendres, puis étendre le mélange de poulet et de légumes au centre de chacune d'entre elles. Couvrir le tout d'environ 1 c. à soupe de cheddar et 1 c. à soupe de crème sure et garnir de morceaux de tomate et de purée d'avocat.

Épate tes amis avec ce succulent plat mexicain !

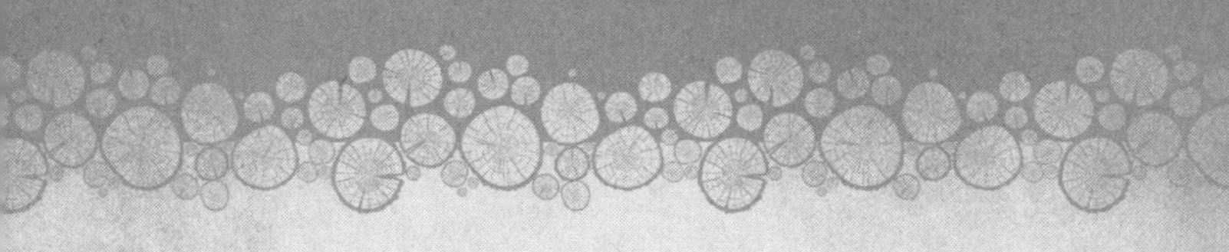

Spaghettis carbonara de chez *Ti-Gus*

(presque aussi bon que *les* côtelettes de porc)

Atchoum a raffolé de ce plat. Il en mangerait tous les jours, s'il le pouvait !

Donne 2 portions

Ingrédients

- 250 g de spaghettis
- 2 œufs
- 125 ml de lait
- 100 g de parmesan râpé
- Sel et poivre
- 1 c. à soupe d'huile d'olive
- 2 oignons verts
- 5 tranches de jambon, de lardons ou de dinde en petits morceaux

N'OUBLIE PAS DE DEMANDER DE L'AIDE À UN ADULTE LORSQUE TU UTILISES LA CUISINIÈRE.

1. Faire bouillir une grande casserole d'eau légèrement salée avant d'y plonger les pâtes. Faire cuire les spaghettis de 8 à 10 minutes jusqu'à ce qu'ils soient *al dente*.
2. Pendant ce temps, battre les œufs, le lait et le parmesan dans un petit bol. Assaisonner de sel et de poivre.
3. Faire chauffer l'huile d'olive dans une poêle à feu moyen-vif, puis faire revenir les oignons verts et la viande pendant 4 ou 5 minutes.
4. Égoutter les pâtes cuites dans une passoire, puis les remettre dans la casserole. Incorporer le mélange aux œufs et au fromage ainsi que le jambon et les oignons verts, puis faire chauffer le tout à feu doux en remuant jusqu'à ce que le fromage soit fondu et que les pâtes soient crémeuses. Ajouter du sel et du poivre, au goût.

Maintenant, nul besoin d'être au restaurant pour déguster ce délicieux plat !